A-Z PETERE

Great Casterton · Ryhall · Market Deeping **6** · **7**

Tallington · Deeping St. James

A16 · Glinton · Thorney

STAMFORD · **4** **5** · Tinwell

Barnack

Easton on the Hill · Wittering

LARGE SCALE **2** **3** CITY CENTRE

Werrington **8** **9**

Gunthorpe · Eye

Duddington

10 **11** **12** **13** · Newark

Wansford · Ailsworth · Westwood · PETERBOROUGH

14 **15** **16** **17** **18** **19**

Castor · Orton · Old · Stanground · Eastrea

Alwalton · Waterville · Fletton · **28** **29**

Peterborough (Sibson) · **20** **21** **22** **23** **24** **25** · WHITTLESEY

Chesterton · Farcet

Elton · **26** **27** · Yaxley · Pondersbridge

0 1 2 Miles
0 1 2 3 Kilometres

Warmington

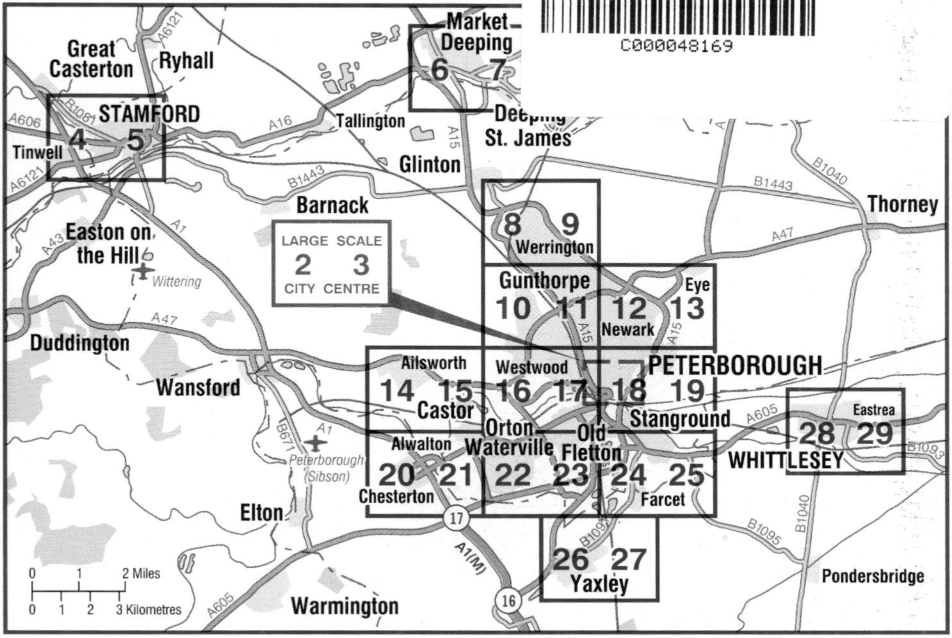

Reference

Motorway **A1(M)**

A Road **A15**

B Road **B1091**

Dual Carriageway

One Way Street
Traffic flow on A roads is indicated by a heavy line on the driver's left.

Road Junction Number (36)

Pedestrianized Road

Restricted Access

Track & Footpath

Residential Walkway

Built Up Area

Railway · Level Crossing · Station

Heritage Railway · Station

Local Authority Boundary

Postcode Boundary

Map Continuation **8** · Large Scale City Centre **2**

Car Park *Selected* — P

Church or Chapel — †

Cycle Route *Selected*

Fire Station — ■

Hospital — H

Information Centre — i

National Grid Reference — 515

Police Station — ▲

Post Office — ★

Toilet — ▽
with facilities for the Disabled

Educational Establishment

Hospital or Health Centre

Industrial Building

Leisure or Recreational Facility

Place of Interest

Public Building

Shopping Centre or Market

Other Selected Buildings

Scale

4 inches (10.16 cm) to 1 mile
1:15,840   6.31 cm to 1 km

0   ¼   ½ Mile

0   250   500   750 Metres   1 Kilometre

Geographers' A-Z Map Company Ltd.

Head Office : Fairfield Road, Borough Green, Sevenoaks, Kent TN15 8PP Tel: 01732 781000
Showrooms : 44 Gray's Inn Road, London WC1X 8HX Tel: 0171 440 9500
Based upon the Ordnance Survey mapping with the permission of the
Controller of Her Majesty's Stationery Office. © Crown Copyright (399000).

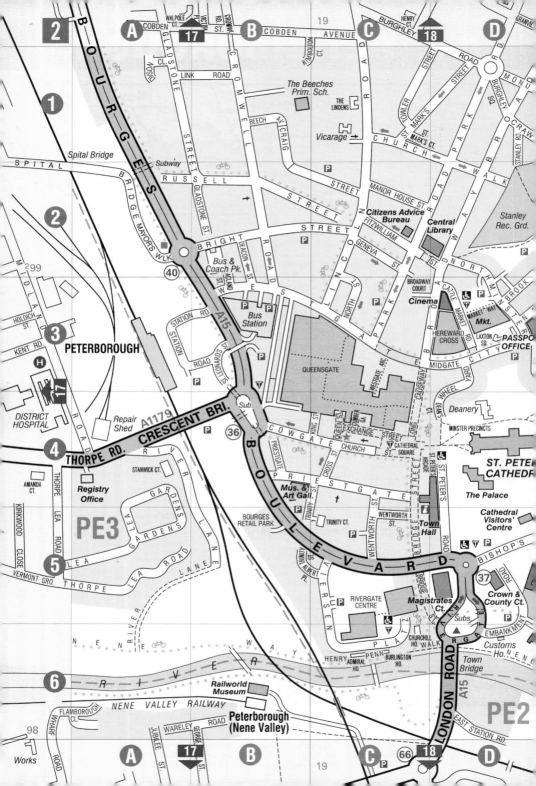

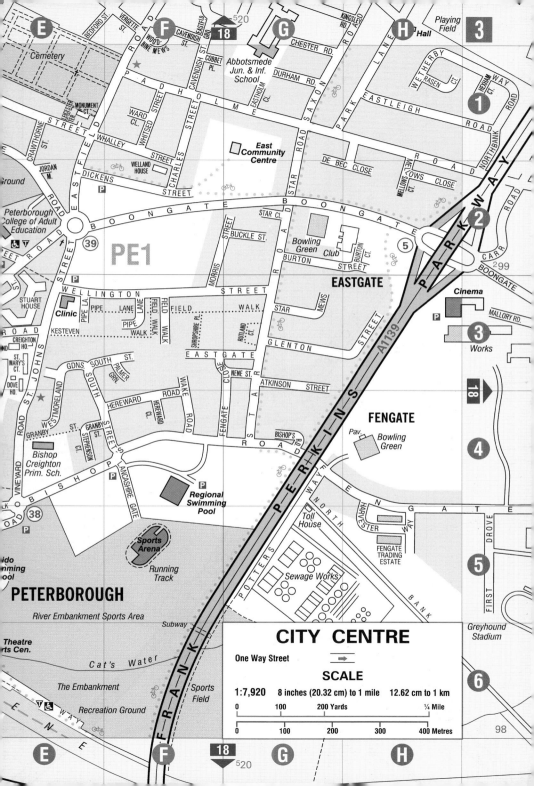

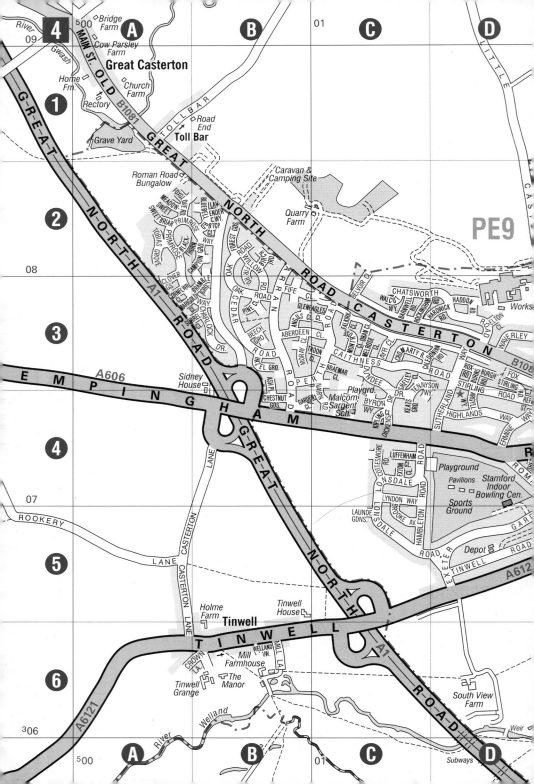

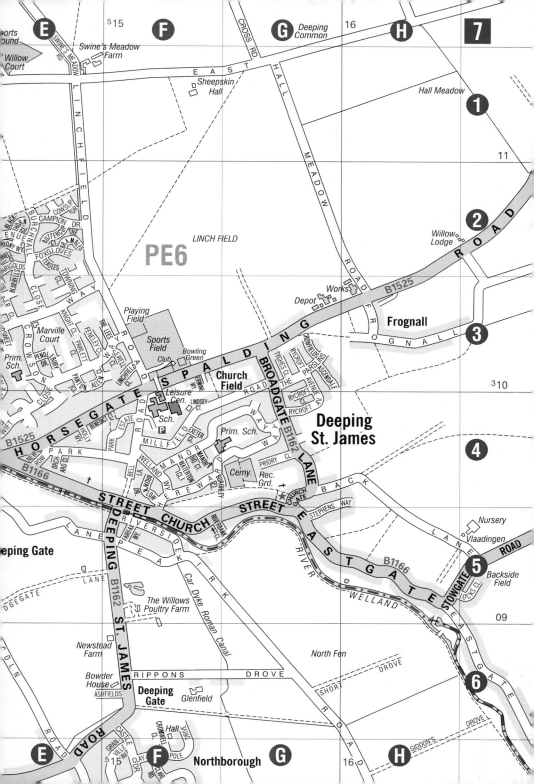

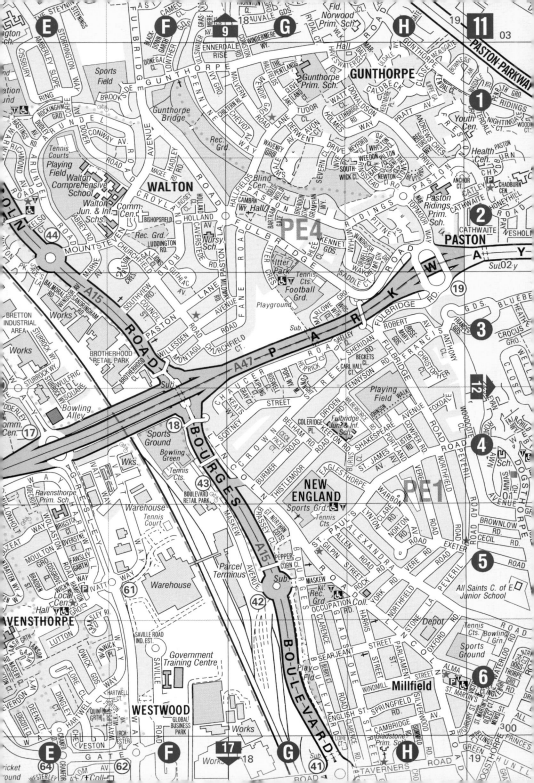

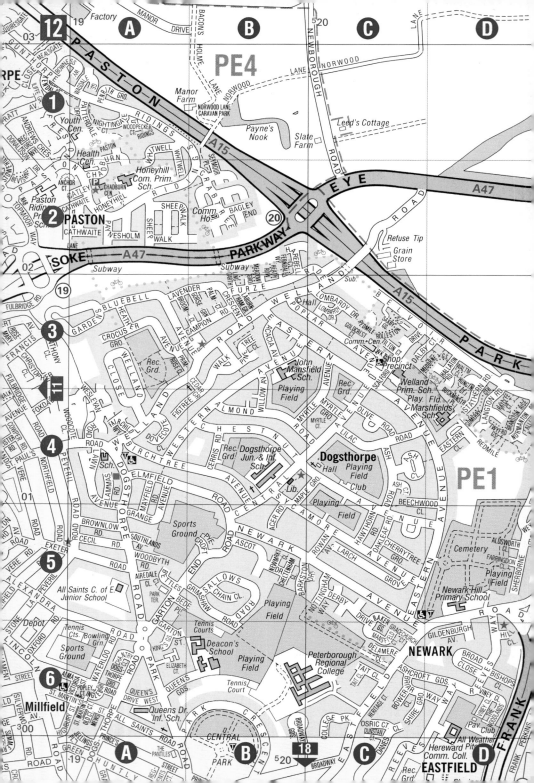

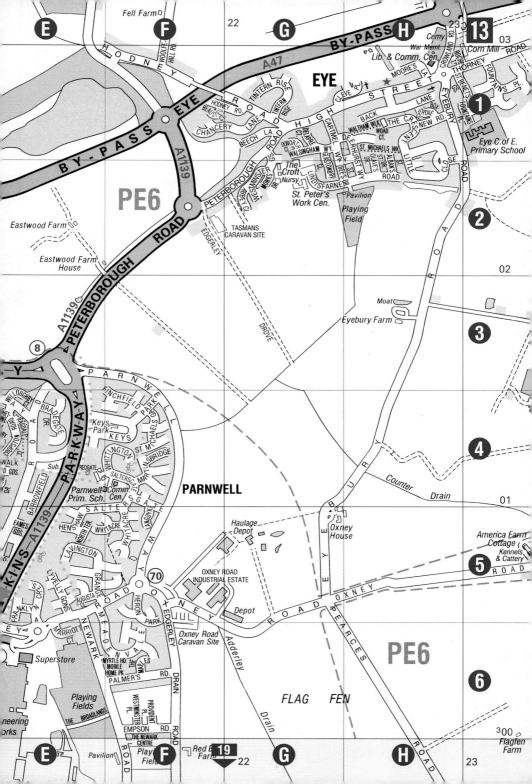

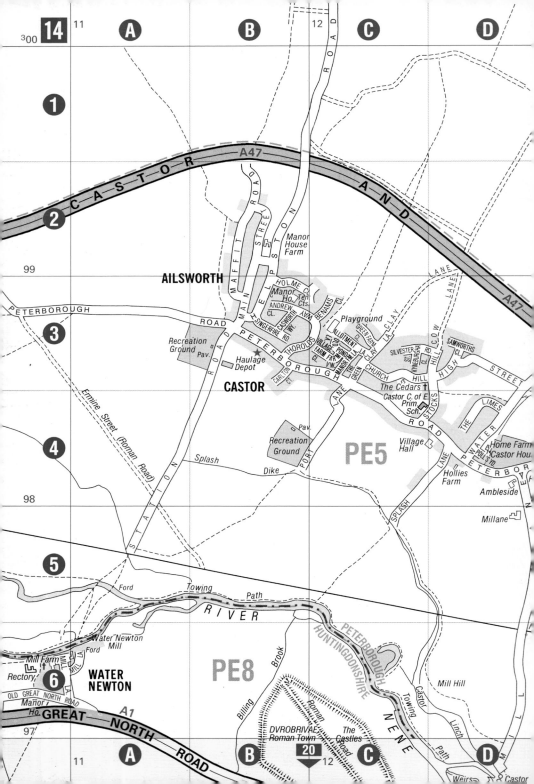

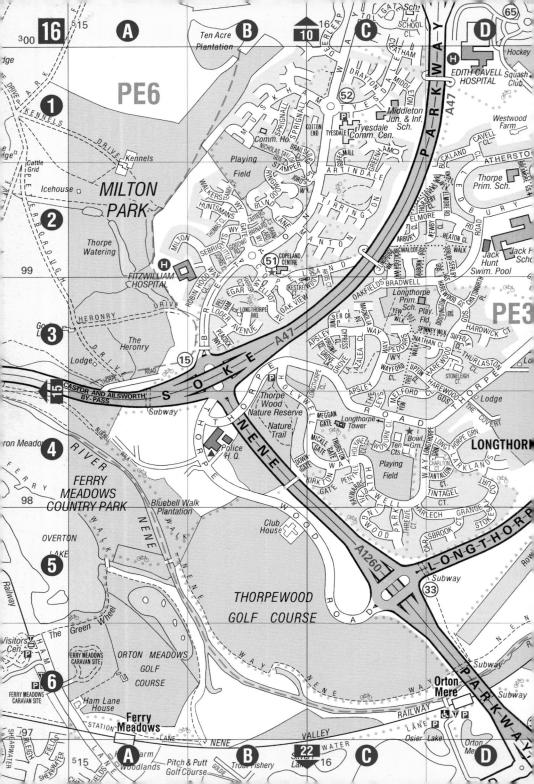

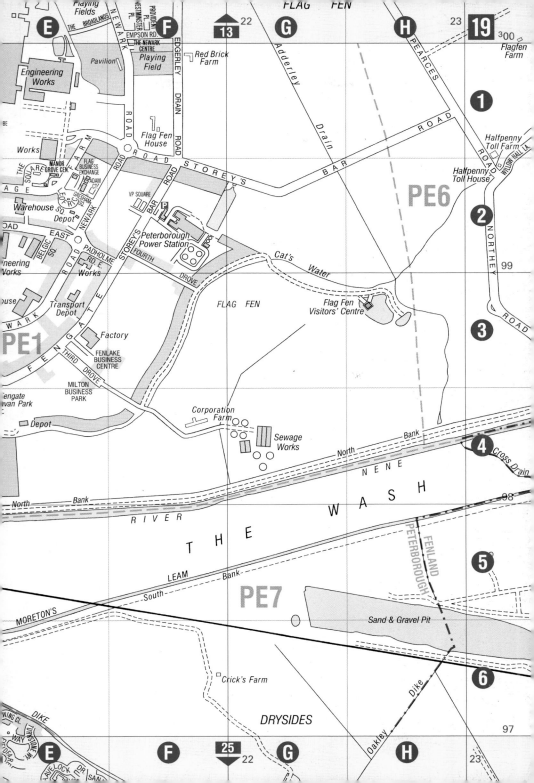

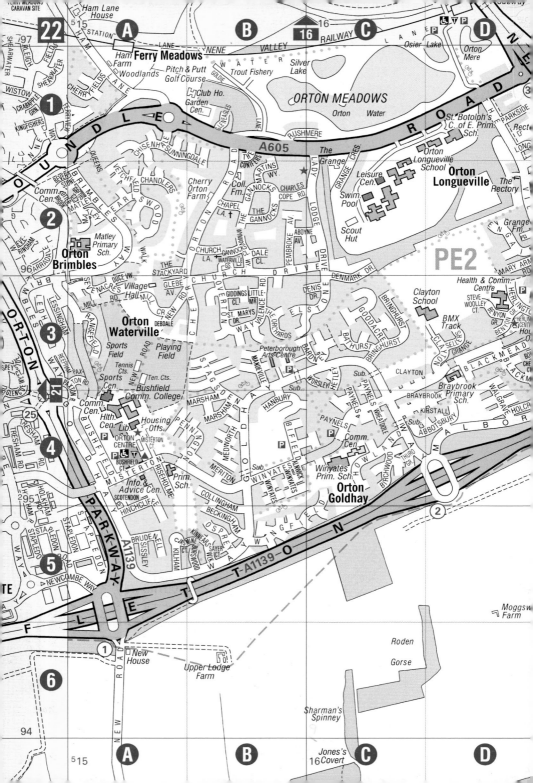

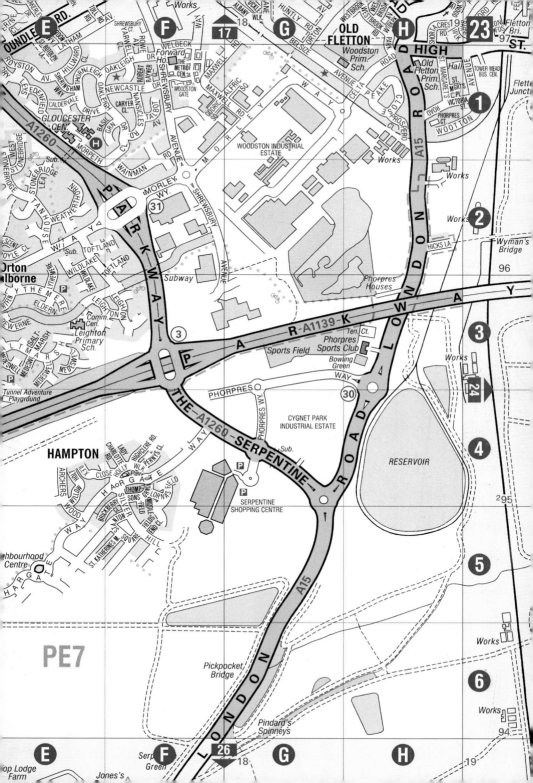

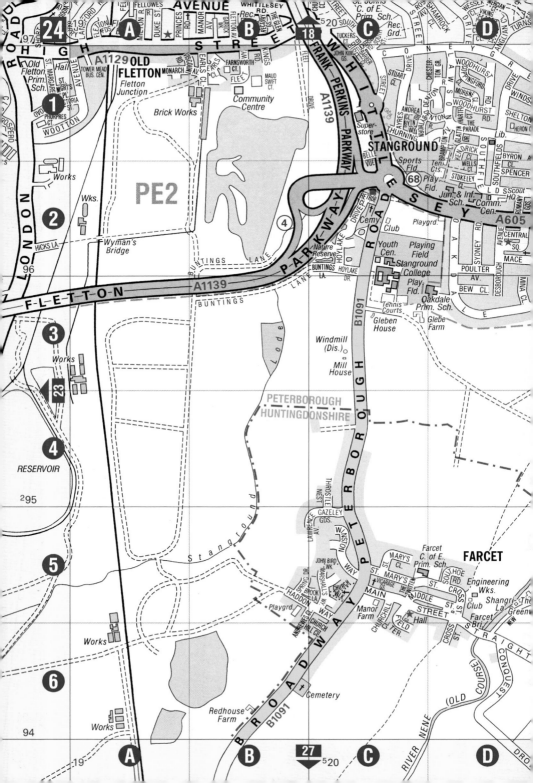

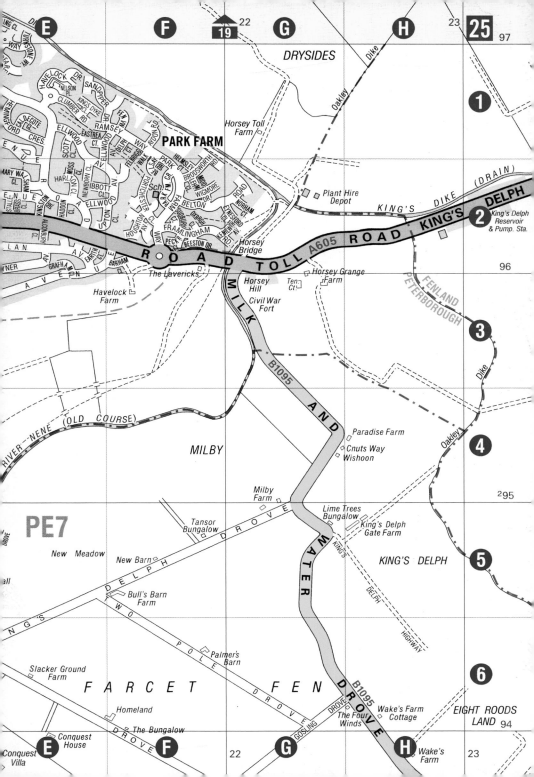

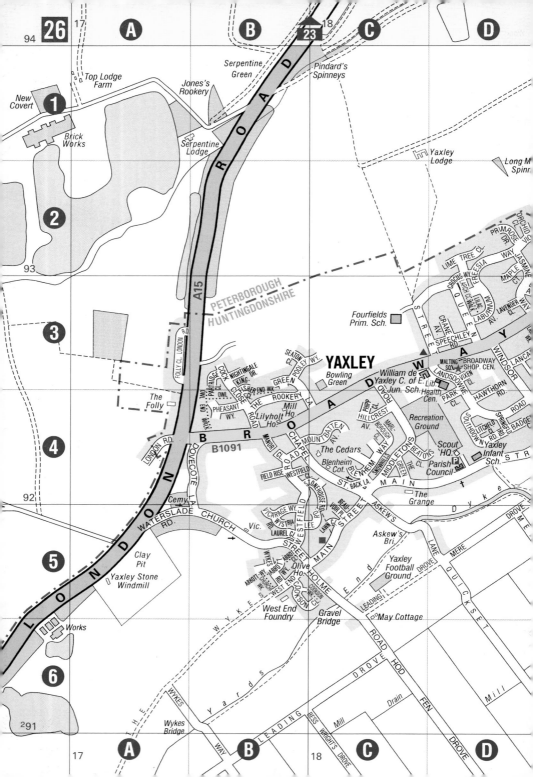

A15

YAXLEY

PETERBOROUGH
HUNTINGDONSHIRE

New Covert
Top Lodge Farm
Jones's Rookery
Serpentine Green
Pindard's Spinneys
Brick Works
Serpentine Lodge
Yaxley Lodge
Long M
Spinr

R O A D

Fourfields
Prim. Sch.

LIME TREE CL.
PRIMROSE
ORCHID
WAY
FREESIA
JASMINE
MAPLE CL.
CRUCAS WY.
ARCH CL. WK.
LILAC
LABURNUM AV.
LAVENDER WY.
CL.

SEATON CL.
POOLEY WY.
Bowling Green

STREET
CRANE AV.
SPEECHLEY RD.
QUEEN
Y
WINDSOR
LANCA
W
A
WA

FOLLY CL. LONDON RD.

The Folly

NIGHTINGALE DR.
KING-
FISHER END WK.
COCK
PARTRIDGE
OWL
END
WK.
PHEASANT WY.
King-
The
ROOKERY
GREEN LA.
Mill Ho.
Lilyholt Ho.

William de
Yaxley C. of E.
Jun. Sch.
Health
Cen.
Lib.
MALTING
SQ.
LANDSDOWNE
DIXON
CL.
PARK CL.
HAWTHORN RD.
BROADWAY
SHOP. CEN.

PHIPP
HILLCREST AV.
MABL
BOROUGH CL.
SNOWHILLS WAY
Recreation Ground

LITCHET RD.
SOUTHORN CL.
SPRINGFIELD RD.
ROAD
BADGE

B1091

LONDON RD.

DOVECOTE LA.
BROADWAY

CHAPEL RD.
MANOR CL.
Field Rise
Westfield
ST. BACK LA.
Blenheim Cot.
The Cedars
MOUNTBATTEN AV.
BLENHEIM CL.
MIDDLETONS GREEN
BEATONS
MABLE RD.

Scout HQ.
Yaxley Infant Sch.
Yaxley Infant Sch.
STR
S
Parish Council

Cemy

WATERSLADE RD.
CHURCH
Vic.
VICARAGE WY.
W'STRIA CL.
LAUREL CL.
SOMEHOUSE RD.
ST'WESTFIELD
BEAD. YORK CL.
LEE
LANE
MAIN STREET
ASKEW'S
The Grange

Clay Pit
Yaxley Stone Windmill

ABBOTT WY.
ABBOT'S
WYKES
CL.
West End
Olive Ho.
NIXSON CL.
KRYSNA CL.

HOLME
MAIN STREET
Askew's Bri.
Yaxley Football Ground
LEADING
DROVE
MERE
QUICKSET

Works

West End Foundry
Gravel Bridge
May Cottage

L O N D O N

WYKE S.
T H E
W Y K E S
Y a r d s

Wykes Bridge
Leading Way
BESS WRIGHT'S DROVE
Mill
ROAD
DROVE
HOD
FEN DROVE
Drain
Mill
D y k e

A   B   C   D

93

92

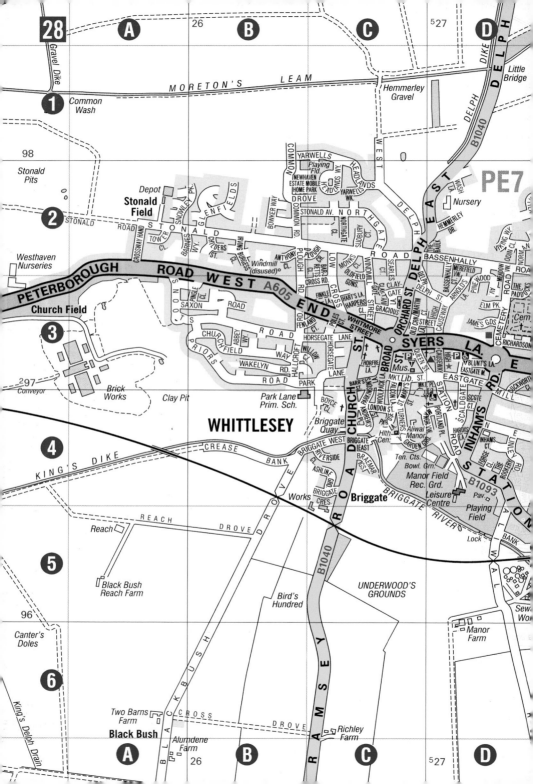

WHITTLESEY

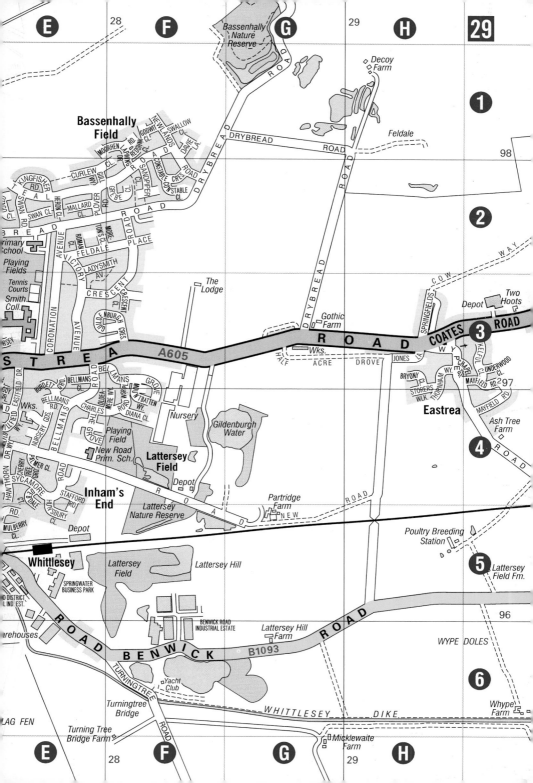

INDEX TO STREETS

Including Industrial Estates and a selection of Subsidiary Addresses.

HOW TO USE THIS INDEX

1. Each street name is followed by its Posttown or Postal Locality and then by its map reference;
e.g. Abbotsbury. *Ort M* —4D **22** is in the Orton Malborne Postal Locality and is to be found in square 4D on page **22**.
The page number being shown in bold type.
A strict alphabetical order is followed in which Av., Rd., St., etc. (though abbreviated) are read in full and as part of the street name; e.g. Ashridge Wlk. appears after Ash Pl. but before Ash Rd.

2. Streets and a selection of Subsidiary names not shown on the Maps, appear in the index in *Italics* with the thoroughfare to which it is connected shown in brackets; e.g. *Burghley Ct. Stam* —4G **5** *(off Recreation Ground Rd.)*

3. The page references shown in brackets indicate those streets that appear on the large scale map pages **2** and **3**;
e.g. Admiral Ho. *Pet* —4A **18** (6C **2**) appears in square 4A on page **18** and also appears in the large scale section in square 6C on page **2**.

GENERAL ABBREVIATIONS

All : Alley	Cotts : Cottages	La : Lane	Ri : Rise
App : Approach	Ct : Court	Lit : Little	Rd : Road
Arc : Arcade	Cres : Crescent	Lwr : Lower	Shop : Shopping
Av : Avenue	Cft : Croft	Mc : Mac	S : South
Bk : Back	Dri : Drive	Mnr : Manor	Sq : Square
Boulevd : Boulevard	E : East	Mans : Mansions	Sta : Station
Bri : Bridge	Embkmt : Embankment	Mkt : Market	St : Street
B'way : Broadway	Est : Estate	Mdw : Meadow	Ter : Terrace
Bldgs : Buildings	Fld : Field	M : Mews	Trad : Trading
Bus : Business	Gdns : Gardens	Mt : Mount	Up : Upper
Cvn : Caravan	Ga : Gate	N : North	Va : Vale
Cen : Centre	Gt : Great	Pal : Palace	Vw : View
Chu : Church	Grn : Green	Pde : Parade	Vs : Villas
Chyd : Churchyard	Gro : Grove	Pk : Park	Wlk : Walk
Circ : Circle	Ho : House	Pas : Passage	W : West
Cir : Circus	Ind : Industrial	Pl : Place	Yd : Yard
Clo : Close	Junct : Junction	Quad : Quadrant	
Comn : Common		Res : Residential	

POSTTOWN AND POSTAL LOCALITY ABBREVIATIONS

Ail : Ailsworth	*Glin* : Glinton	*Old F* : Old Fletton	*Stam* : Stamford
Alw : Alwalton	*Gt Cas* : Great Casterton	*Ort B* : Orton Brimbles	*Stan* : Stanground
Bret : Bretton	*Hamp H* : Hampton Hargate	*Ort G* : Orton Goldhay	*Thor* : Thorney
Cas : Castor	*Long* : Longthorpe	*Ort L* : Orton Longueville	*Thor M* : Thorpe Meadows
Ches : Chesterton	*Lyn W* : Lynch Wood	*Ort M* : Orton Malborne	*Tin* : Tinwell
Deep G : Deeping Gate	*Mar* : Marholm	*Ort S* : Orton Southgate	*Water* : Waternewton
Deep J : Deeping St James	*Mkt D* : Market Deeping	*Ort Wa* : Orton Waterville	*Wer* : Werrington
Duke : Dukesmead	*Max* : Maxey	*Ort Wi* : Orton Wistow	*Whit* : Whittlesey
East : Eastrea	*Milk N* : Milking Nook	*Parn* : Parnwell	*Wood* : Woodston
Eye : Eye	*Milt* : Milton	*Pea* : Peakirk	*Wot* : Wothorpe
Far : Farcet	*Newb* : Newborough	*Pet* : Peterborough	*Yax* : Yaxley
Fen : Fengate	*N'boro* : Northborough	*R'well* : Rightwell	

INDEX TO STREETS

Abbey Clo. *Eye* —2G **13**
Abbey Rd. *Pet* —2E **11**
Abbey Way. *Whit* —3B **28**
Abbot Clo. *Yax* —5B **26**
Abbotsbury. *Ort M* —4D **22**
Abbotts Clo. *Stam* —5H **5**
Abbotts Gro. *Pet* —3D **8**
Abbott Way. *Yax* —5B **26**
Aberdeen Clo. *Stam* —3B **4**
Aboyne Av. *Ort Wa* —2B **22**
Acacia Av. *Pet* —3B **12**
Accent Pk. *Ort S* —5G **21**
Acer Rd. *Pet* —5B **12**
Acland St. *Pet* —2H **17**
Adam Ct. *Pet* —2E **19**
Adderley. *Bret* —4E **11**
Addington Way. *Pet* —6E **9**
Adelaide St. *Stam* —4G **5**
Admiral Ho. *Pet* —4A **18** (6C **2**)

Ainsdale Dri. *Pet* —5D **8**
Airedale Clo. *Pet* —5A **12**
Airedale Rd. *Stam* —2E **5**
Albany Wlk. *Pet* —6G **17**
Albert Pl. *Pet* —4H **17** (5B **2**)
Albert Rd. *Stam* —4G **5**
Alconbury Clo. *Pet* —2E **25**
Aldermans Dri. *Pet* —2G **17**
Aldsworth Clo. *Pet* —5D **12**
Alexandra Rd. *Pet* —5H **11**
Alexandra Rd. *Stam* —3F **5**
Alfreds Way. *Wer* —5C **8**
Alfric Sq. *Pet* —1G **23**
Aliwal Rd. *Whit* —5D **28**
Allan Av. *Pet* —2E **25**
Allen Clo. *Deep J* —3E **7**
Allen Rd. *Pet* —5G **11**
Allerton Gth. *Alw* —3E **21**
Allexton Gdns. *Pet* —4D **12**

Allotment La. *Cas* —3C **14**
All Saints M. *Stam* —4F **5**
All Saints Pl. *Stam* —4F **5**
All Saints Rd. *Pet* —6A **12**
All Saints St. *Stam* —4F **5**
Alma Rd. *Pet* —6H **11**
Almond Rd. *Pet* —4B **12**
Almoners La. *Pet* —2G **17**
Alnwick. *Ort G* —4B **22**
Althorpe Clo. *Mkt D* —4B **6**
Amanda Ct. *Pet* —3G **17**
Amberley Slope. *Pet* —6E **9**
Ambleside Gdns. *Pet* —6G **9**
Ancaster Rd. *Stam* —2E **5**
Anchor Ct. *Pet* —2H **11**
Andrea Clo. *Pet* —1C **24**
Andrew Clo. *Pet* —1C **24**
Andrewes Clo. *Far* —6B **24**
Andrew Rd. *Stam* —3F **5**

Andrews Cres. *Pet* —1H **11**
Anglian Clo. *Pet* —6D **18**
Angus Clo. *Stam* —3B **4**
Angus Ct. *Pet* —2F **17**
Anne Rd. *Stam* —3E **5**
Anson Ct. *Mkt D* —1C **6**
Anthony Clo. *Pet* —3B **28**
Anthony Clo. *Pet* —3H **11**
Apple Tree Clo. *Yax* —3B **28**
Appleyard. *Pet* —6C **18**
Apsley Way. *Pet* —3B **28**
Apsley Way. *Pet* —3C **16**
Arbury Clo. *Pet* —2C **16**
Archers Wood. *Hamp H*
—4E **23**
Argyll Way. *Stam* —4D **4**
Armley Gro. *Stam* —2H **5**
Arnold's La. *Whit* —3D **28**
Arran Rd. *Stam* —3B **4**

Artindale. *Bret* —2C **16**
Artis Ct. *Bret* —3C **16**
Arundel Rd. *Pet* —1E **11**
Ascendale. *Deep J* —3G **7**
Ascot Dri. *Pet* —5B **12**
Ashburn Clo. *Glin* —2B **8**
Ash Clo. *Pet* —4C **12**
Ash Ct. *Pet* —4C **12**
Ashcroft Gdns. *Pet* —6C **12**
Ashfields. *Deep G* —6E **7**
Ashfields. *Pet* —3G **17**
Ashleigh. *Ort Wi* —1G **21**
Ashline Gro. *Whit* —4C **28**
Ash Pk. *Wer* —3D **8**
Ash Pl. *Stam* —3B **4**
Ashridge Wlk. *Yax* —3E **27**
Ash Rd. *Pet* —4C **12**
Ashton Rd. *Pet* —6D **10**
Askew's La. *Yax* —5C **26**
Aster Dri. *Pet* —6F **9**
Atherstone Av. *Pet* —2D **16**
Atkinson St. *Pet*
—3C **18** (3G **3**)
Auborn Gdns. *Pet* —2C **16**
Aubretia Av. *Pet* —6F **9**
Audley Ga. *Pet* —2D **16**
Augusta Clo. *Pet* —5E **13**
Austin Friar's La. *Stam* —5F **5**
Austin St. *Stam* —5F **5**
Avenue, The. *Mkt D* —3C **6**
Avon Ct. *Pet* —1G **11**
Axiom Av. *Pet* —1E **17**
Axiom Ct. *Stam* —5H **5**
Aydon Rd. *Pet* —1F **25**
Ayr Clo. *Stam* —3C **4**
Ayres Dri. *Pet* —1C **24**
Azalea Clo. *Pet* —3C **16**
Azalea Ct. *Yax* —3D **26**

Back La. *Deep J* —4G **7**
Back La. *Eye* —1H **13**
Back La. *Stam* —4G **5**
Back La. *Yax* —4C **26**
Bacon's Holme La. *Pet* —1B **12**
Bader Clo. *Pet* —5E **11**
Badger Clo. *Yax* —4D **26**
Bagley End. *Pet* —2B **12**
Bain Clo. *Stam* —2G **5**
Bainton Rd. *Milk N* —1H **9**
Baker Pl. *Stam* —3B **4**
Bakers La. *Pet* —6G **17**
Bakewell Rd. *Ort S* —5G **21**
Bala Ct. *Pet* —6F **9**
Balintore Ri. *Ort S* —3H **21**
Balmoral Rd. *Pet* —3E **11**
Bamber St. *Pet* —1H **17**
Bank Clo. *Whit* —5D **28**
Barber Clo. *Stan* —1C **24**
Bardney. *Ort G* —3C **22**
Barford Clo. *Pet* —6E **17**
Barham Clo. *Pet* —2F **25**
Barkston Dri. *Pet* —1E **29**
Barnack Rd. *Stam* —5G **5**
Barnard Ct. *Bret* —2B **16**
Barnard Way. *Pet* —2B **16**
Barn Clo. *Pet* —6D **8**
Barnes Way. *Wer* —1D **10**
Barnes Way. *Whit* —2A **28**
Barn Hill. *Stam* —4F **5**
Barnoak Rd. *Pet* —2H **9**
Barnstock. *Bret* —4C **10**

Barnwell Rd. *Stam* —3C **4**
Baron Ct. *Pet* —5F **9**
Barretts Clo. *Whit* —2C **28**
Barrowfield. *Pet* —4E **13**
Barr's St. *Whit* —3C **28**
Barry Wlk. *Pet* —6A **18**
Barton Clo. *Pet* —2H **11**
Bartram Ga. *Pet* —2G **11**
Basil Grn. *Ort L* —1F **23**
Bassenhally Ct. *Whit* —3D **28**
Bassenhally Rd. *Whit* —2D **28**
Bath Row. *Stam* —5F **5**
Bathurst. *Ort G* —3C **22**
Baulk. The. *Whit* —2D **28**
Beatons Clo. *Yax* —4C **26**
Beaufort Av. *Mkt D* —3D **6**
Beaulieu Ct. *Eye* —1F **13**
Beauvale Gdns. *Pet* —6G **9**
Beauvoir Pl. *Yax* —5C **26**
Beckets Dri. *Pet* —3H **11**
Beckingham. *Ort G* —5B **22**
Bede Pl. *Pet* —5A **12**
Bedford St. *Pet* —1B **18** (1E **3**)
Beech Av. *Pet* —2H **17** (1B **2**)
Beech Clo. *Mkt D* —2C **6**
Beech Gro. *Stam* —3B **4**
Beech La. *Eye* —1G **13**
Beech Rd. *Glin* —1A **8**
Beechwood Clo. *Pet* —4C **12**
Beeston Dri. *Pet* —2F **25**
Belgic Sq. *Pet* —2E **19**
Belgravia Ho. *Pet* —3G **17**
Belham Rd. *Pet* —4G **11**
Belle Vue. *Pet* —1C **24**
Bell La. *Deep J* —4F **7**
Bellmans Clo. *Whit* —3E **29**
Bellmans Gro. *Whit* —3E **29**
Bellmans Rd. *Whit* —4E **29**
Belsay Dri. *Pet* —5E **11**
Belsize Av. *Pet* —6G **17**
Belton Clo. *Mkt D* —3B **6**
Belton Rd. *Pet* —2F **25**
Belton St. *Stam* —4G **5**
Belvoir Clo. *Mkt D* —3B **6**
Belvoir Clo. *Stam* —3C **4**
Belvoir Way. *Pet* —3C **12**
Benams Clo. *Cas* —3C **14**
Benedict Ct. *Deep J* —4E **7**
Benedict Sq. *Pet* —1C **10**
Benland. *Bret* —5C **10**
Bentley St. *Stam* —3G **5**
Benwick Rd. *Whit* —6F **29**
Benwick Rd. Ind. Est. *Whit*
—6F **29**
Benyon Gro. *Ort M* —3D **22**
Berkeley Rd. *Pet* —2E **17**
Berrybut Way. *Stam* —2H **5**
Berry Ct. *Pet* —6G **11**
Bess Wright's Drove. *Yax*
—6C **26**
Bettles Clo. *Pet* —5A **12**
Beverley Gdns. *Stam* —3E **5**
Beverstone. *Ort B* —2H **21**
Bevishall. *Pet* —2H **11**
Bew Clo. *Pet* —3D **24**
Bickleigh Wlk. *Pet* —2C **16**
Bifield. *Ort G* —4B **22**
Bifield. *Ort G* —3D **28**
Birch Clo. *Yax* —4E **27**
Birch Rd. *Stam* —2B **4**
Birchtree Av. *Pet* —4A **12**
Birchwood. *Ort G* —4C **22**
Birkdale Av. *Pet* —6D **8**

Bishops Clo. *Pet* —6D **12**
Bishopsfield. *Pet* —2F **11**
Bishop's Rd. *Pet*
—4A **18** (5D **2**)
Blackbush Drove. *Whit* —6A **18**
Blackdown Gth. *Pet* —1F **11**
Blackfriars St. *Stam* —4G **5**
Blackmead. *Ort M* —3D **22**
Black Prince Av. *Mkt D* —2C **6**
Blackthorn. *Stam* —2A **4**
Blackthorn Clo. *Deep J* —2E **7**
Blandford Gdns. *Pet* —4E **13**
Blenheim Way. *Mkt D* —1C **6**
Blenheim Way. *Yax* —4C **26**
Blind La. *Bret* —2B **16**
Blossom Ct. *Bret* —3D **10**
Bluebell Av. *Pet* —3A **12**
Bluebell Rd. *Stam* —2B **4**
Bluebells. *Deep J* —3E **7**
Bluebell Wlk. *Pet* —4A **16**
Blunt's La. *Whit* —3D **28**
Bodesway. *Ort M* —3D **22**
Boongate. *Pet* —2B **18** (2E **3**)
Borrowdale Clo. *Pet* —6G **9**
Borthwick Pk. *Ort Wi* —1H **21**
Boswell Clo. *Pet* —3G **11**
Botolph Grn. *Pet* —6E **17**
Boulevard Retail Pk. *Pet*
—4F **11**
Bourges Boulevd. *Pet*
—4F **11** (1A **2**)
Bourges Retail Pk. *Pet*
—4H **17** (5B **2**)
Bower Clo. *Pet* —6C **12**
Bowker Way. *Whit* —2B **28**
Bowness Way. *Pet* —1H **11**
Boxgrove Clo. *Eye* —1H **13**
Boyce Clo. *Whit* —4C **28**
Bozeat Way. *Pet* —5E **11**
Brackenwood. *Ort Wi* —1H **21**
Brackley Clo. *Pet* —2F **17**
Bradden St. *Pet* —5E **11**
Bradegate Dri. *Pet* —4E **13**
Bradwell Rd. *Pet* —3C **16**
Braemar Clo. *Stam* —3C **4**
Braemar Gdns. *Whit* —4C **28**
Brailsford Clo. *Bret* —1B **16**
Bramall Ct. *Pet* —2D **16**
Bramble Clo. *Whit* —4D **28**
Bramble Clo. *Yax* —3E **27**
Bramble Gro. *Stam* —3B **4**
Brambles, The. *Deep J* —2E **7**
Bramley Rd. *Mkt D* —3C **6**
Brampton Ct. *Pet* —1D **24**
Brancepeth Pl. *Pet* —6G **17**
Branston Rise. *Pet* —4D **12**
Brassey Clo. *Pet* —5G **11**
Braybrook. *Ort G* —4C **22**
Brazenose La. *Stam* —4G **5**
Bread St. *Pet* —5H **17**
Breamore Gdns. *Pet* —2D **16**
Brendon Gth. *Pet* —2G **11**
Bretton Cen. *Bret* —5C **10**
Bretton Ga. *Bret* —6C **10**
Bretton Grn. Office Village.
R'well —6C **10**
Bretton Ind. Area. *Bret* —3E **11**
Bretton Way. *Bret* —3B **16**
Brewerne. *Ort M* —3E **23**
Brewster Av. *Pet* —5H **17**
Briar Way. *Pet* —6C **12**
Brickberry Clo. *Hamp H*
—5E **23**

Bridge Foot. *Mkt D* —4C **6**
Bridgegate La. *Deep G* —5E **7**
Bridgehill Rd. *Newb* —3G **9**
Bridge St. *Mkt D* —4D **6**
Bridge St. *Pet* —3A **18** (5C **2**)
Briggate Cres. *Whit* —4C **28**
Briggate E. *Whit* —4C **28**
Briggate W. *Whit* —4B **28**
Bright St. *Pet* —2H **17** (2B **2**)
Brigstock Ct. *Pet* —5E **11**
Brimbles Way. *Ort B* —2A **22**
Bringhurst. *Ort G* —3C **22**
Bristol Av. *Pet* —6D **8**
Briton Ct. *Pet* —6D **18**
Broad Clo. *Pet* —6D **12**
Broad Drove. *Yax* —4F **27**
Broadgate La. *Deep J* —3G **7**
Broadlands, The. *Pet* —6E **13**
Broad St. *Stam* —4F **5**
Broad St. *Whit* —3C **28**
Broadway. *Pet* —3A **18** (3C **2**)
Broadway. *Yax* —4B **26**
Broadway Ct. *Pet*
—3A **18** (3C **2**)
Broadway Gdns. *Pet* —1B **18**
Broadway Shop. Cen. *Yax*
—3D **26**
Brocklesby Gdns. *Pet* —2E **17**
Brodsworth Rd. *Pet* —2F **25**
Brooke Av. *Stam* —5C **4**
Brookfield Home Pk. *Duke*
—1C **10**
Brookfield Ind. Pk. *Pet* —1D **10**
Brookfurlong. *Pet* —5D **10**
Brook La. *Far* —5C **24**
Brookside. *Pet* —1F **11**
Brook St. *Pet* —3A **18** (3D **2**)
Broom Clo. *Pet* —3A **12**
Brotherhood Clo. *Pet* —3F **11**
Brotherhood Retail Pk. *Pet*
—3E **11**
Brownlow Dri. *Deep J* —4F **7**
Brownlow Rd. *Pet* —5A **12**
Brownlow St. *Stam* —4G **5**
Brudenell. *Ort G* —5A **22**
Brynmore. *Bret* —3C **10**
Bryony Clo. *Whit* —3H **29**
Bryony Way. *Deep J* —2E **7**
Buckland Clo. *Pet* —2D **16**
Buckles Gdns. *Whit* —3E **29**
Buckle St. *Pet* —2C **18** (2G **3**)
Buckminster Pl. *Pet* —4D **12**
Buntings La. *Pet & Far* —2B **24**
(in three parts)
Burchnall Clo. *Deep J* —2E **7**
Burdett Gro. *Whit* —3E **29**
Burford Way. *Pet* —5D **12**
Burghley Clo. *Deep J* —4F **7**
Burghley Ct. *Stam* —4G **5**
(off Recreation Ground Rd.)
Burghley La. *Stam* —5G **5**
Burghley Rd. *Pet*
—1A **18** (1C **2**)
Burghley Rd. *Stam* —2E **5**
Burghley Sq. *Pet*
—2A **18** (1D **2**)
Burlington Ho. *Pet*
—4A **18** (6C **2**)
Burmer Rd. *Pet* —4G **11**
Burns Clo. *Pet* —4H **11**
Burnside Av. *Mkt D* —3B **6**
Burns Rd. *Stam* —3D **4**
Burswood. *Ort G* —5B **22**

Burton Ct. *Pet* —2C **18** (2H **3**)
Burton St. *Pet* —2C **18** (2G **3**)
Burwell Reach. *Pet* —6E **17**
Burystead. *Stan* —6C **18**
Bushfield. *Ort G* —4A **22**
Bushfield Ct. *Ort G* —4A **22**
Buttercup Clo. *Stam* —2B **4**
Buttercup Clo. *Deep J* —2E **7**
Buttermere Pl. *Pet* —6G **9**
Byron Clo. *Pet* —1D **24**
Byron Way. *Stam* —4C **4**
Bythorn Rd. *Pet* —1C **24**
Bythorn Way. *Pet* —1C **24**

Caithness Rd. *Stam* —3C **4**
Caldbeck Clo. *Pet* —1H **11**
Caldecote Clo. *Pet* —1E **25**
Caldervale. *Ort L* —1E **23**
Caledonian Rd. *Stam* —3C **4**
Cambrian Way. *Pet* —2G **11**
Cambridge Av. *Pet* —6H **11**
Cambridge Rd. *Stam* —3E **5**
Camelia Clo. *Pet* —6F **9**
Campbell Dri. *Pet* —5G **9**
Campion Dri. *Deep J* —2E **7**
Campion Gro. *Stam* —2B **4**
Campion Rd. *Pet* —3B **12**
Candidus Ct. *Pet* —4D **8**
Canonsfield. *Pet* —5C **8**
Canterbury Rd. *Pet* —6D **8**
Canwell. *Pet* —5E **9**
Cardinals Ga. *Pet* —5C **8**
Carisbrook Ct. *Pet* —5D **16**
Carleton Cres. *Pet* —3F **11**
Carl Hall Ct. *Pet* —3H **11**
Carlton St. *Cas* —3D **14**
Carradale. *Ort B* —2H **21**
Carron Dri. *Pet* —6C **8**
Carr Rd. *Pet* —3D **18** (2H **3**)
Carters Clo. *Bret* —2B **16**
Cartmel Way. *Eye* —1G **13**
Carver Clo. *Ort L* —1F **23**
Casterton La. *Tin* —5A **4**
Casterton Rd. *Stam* —3C **4**
Castle Dri. *N'boro* —6F **7**
Castle Dyke. *Stam* —4F **5**
Castle End Rd. *Max* —6A **6**
Castle St. *Stam* —4F **5**
Castor and Ailsworth By-Pass.
   Ail —2A **14**
Castor Rd. *Mar* —1F **15**
  (in two parts)
Casworth Way. *Ail* —3B **14**
Cathedral Sq. *Pet*
   —3A **18** (4C **2**)
Catherine Clo. *Pet* —6E **17**
Cathwaite. *Pet* —2H **11**
Catley. *Pet* —2A **12**
Cattle Mkt. Rd. *Pet*
   —3A **18** (3D **2**)
*Causeway M. Whit —3D **28***
  (off High Causeway)
Cavell Clo. *Pet* —1D **16**
Cavendish St. *Pet*
   —1B **18** (1F **3**)
Caverstede Rd. *Pet* —2F **11**
Cecil Pacey Ct. *Pet* —4G **11**
Cecil Rd. *Pet* —5A **12**
Cedar Clo. *Mkt D* —3B **6**
Cedar Gro. *Pet* —3B **12**
Cedar Rd. *Stam* —3B **4**
Celta Rd. *Pet* —1H **23**

Celtic Clo. *Pet* —6D **18**
Cemetery Rd. *Whit* —3D **28**
Central Av. *Pet* —5B **12**
Central Sq. *Pet* —2D **24**
Cerris Rd. *Pet* —4B **12**
Chadburn. *Pet* —2A **12**
Chadburn Cen. *Pet* —2A **12**
Chain Clo. *Pet* —5B **12**
Chancery La. *Eye* —1F **13**
Chandlers. *Ort B* —2A **22**
Chantry Clo. *Pet* —6A **12**
Chapel Gdns. *Whit* —3H **29**
Chapel La. *Ort Wa* —2B **22**
Chapel La. *Wer* —6E **9**
Chapel St. *Pet* —3B **18** (3E **3**)
Chapel St. *Stan* —6C **18**
Chapel St. *Yax* —4B **26**
Chapel Yd. *Stam* —4G **5**
Charles Cope Rd. *Ort Wa*
   —2B **22**
Charles Rd. *Stam* —2E **5**
Charles Rd. *Whit* —4E **29**
Charles St. *Pet* —2B **18** (2F **3**)
Charlock Dri. *Stam* —3B **4**
Charlton Ct. *Long* —4D **16**
Charnwood Clo. *Pet* —6A **18**
Chatsfield. *Pet* —3C **8**
Chatsworth Clo. *Mkt D* —3B **6**
Chatsworth Pl. *Pet* —3D **16**
Chatsworth Rd. *Stam* —3C **4**
Chaucer Rd. *Pet* —4G **11**
Chelmer Gth. *Pet* —3H **11**
Cheltenham Clo. *Pet* —5B **12**
Chelveston Way. *Pet* —1E **17**
Cherryfields. *Ort Wa* —1A **22**
Cherry Gro. *Mkt D* —3D **6**
Cherryholt La. *Stam* —4G **5**
Cherryholt Rd. *Stam* —4H **5**
Cherry Orton Rd. *Ort Wa*
   —3B **22**
Cherrytree Gro. *Pet* —5C **12**
Cherry Tree Gro. *Whit* —4E **29**
Cherry Tree Wlk. *Yax* —4E **27**
Chester Rd. *Pet* —1C **18** (1G **3**)
Chesterton Gro. *Pet* —1D **24**
Chestnut Av. *Pet* —4B **12**
Chestnut Clo. *Glin* —1A **8**
Chestnut Cres. *Whit* —4D **28**
Chestnut Gdns. *Stam* —4B **4**
Chestnut Way. *Mkt D* —2C **6**
Cheviot Av. *Pet* —1G **11**
Cheyne La. *Stam* —4G **5**
Cheyney Ct. *Ort M* —3D **22**
Childers St. *Whit* —2B **28**
Chiltern Rise. *Pet* —1F **11**
Chippenham M. *Pet* —6E **17**
Chisenhale. *Ort Wa* —1A **22**
Christopher Clo. *Pet* —3H **11**
Church Ct. *Stam* —5G **5**
Church Dri. *Ort Wa* —3B **22**
Churchfield Ct. *Pet* —3F **11**
Churchfield Rd. *Pet* —2F **11**
Churchfield Way. *Whit*
   —3B **28**
Church Ga. *Deep J* —4G **7**
Church Hill. *Cas* —3C **14**
Church Hill Clo. *Far* —6C **24**
Churchill Clo. *Far* —5C **24**
Churchill Ho. *Pet* —6C **2**
Churchill Ho. *Pet* —4A **18**
Churchill Rd. *Stam* —3C **4**
Church La. *Old F* —6B **18**
Church La. *Ort Wa* —2B **22**

Church La. *Stam* —5G **5**
Church La. *Stan* —6B **18**
Church La. *Wer* —6D **8**
Church St. *Alw* —3E **21**
Church St. *Deep J* —5F **7**
Church St. *Mkt D* —3C **6**
Church St. *Pet* —3A **18** (4C **2**)
Church St. *Stam* —5G **5**
Church St. *Stan* —6C **18**
Church St. *Wer* —6D **8**
Church St. *Whit* —4C **28**
Church St. *Yax* —5B **26**
Church Vw. Clo. *Stan* —6C **18**
Church Wlk. *Far* —5C **24**
Church Wlk. *Pet*
   —2A **18** (1C **2**)
Church Wlk. *Yax* —5B **26**
Cissbury Ring. *Pet* —1E **11**
City Rd. *Pet* —3A **18** (3D **2**)
Clare Clo. *Stam* —4E **5**
Clarence Rd. *Pet* —6G **11**
Clarendon Way. *Glin* —1B **8**
Clare Rd. *N'boro* —6F **7**
Clare Rd. *Pet* —5H **11**
Clavering Wlk. *Pet* —4D **8**
Claygate. *Whit* —3C **28**
Clay La. *Cas* —3C **14**
Claypole Dri. *N'boro* —6F **7**
Clayton. *Ort G* —3C **22**
Cleatham. *Bret* —1C **16**
Cleveland Ct. *Pet* —1G **11**
Cleve Pl. *Eye* —1G **13**
Cliff Cres. *Stam* —4F **5**
Cliff Rd. *Stam* —4F **5**
Clifton Av. *Pet* —2G **17**
Clipston Wlk. *Pet* —6F **11**
Clover Rd. *Mkt D* —3C **6**
Clumber Rd. *Pet* —1E **25**
Coates Rd. *Whit* —3H **29**
Cobbet Pl. *Pet* —2B **18** (1F **3**)
Cobden Av. *Pet* —1H **17** (1B **2**)
Cobden St. *Pet* —1H **17** (1A **2**)
Cock Clo. Rd. *Yax* —3B **26**
Coleridge Pl. *Pet* —4G **11**
College Pk. *Pet* —6C **12**
Collingham. *Ort G* —4B **22**
Coltsfoot Dri. *Pet* —6G **17**
Comn. Drove. *Whit* —1B **28**
Common Rd. *Whit* —2B **28**
Conduit Rd. *Stam* —3G **5**
Coneygree Rd. *Pet* —1C **24**
Conifers, The. *Ort Wa* —1B **22**
Coningsby Rd. *Bret* —1C **10**
Coniston Rd. *Pet* —1G **11**
Connaught M. *Pet* —3G **11**
Conquest Drove. *Far* —6D **24**
Constable Clo. *Whit* —2F **29**
Constable Cres. *Whit* —2F **29**
Conway Av. *Pet* —1E **11**
Cookson Clo. *Yax* —5B **26**
Cookson Wlk. *Yax* —5C **26**
Copeland. *Bret* —2B **16**
Copeland Cen. *Bret* —2B **16**
Copper Beech Way. *Pet*
   —6B **18**
Coppingford Clo. *Pet* —1D **24**
Copsewood. *Pet* —5E **9**
Corfe Av. *Pet* —1E **11**
Cornflower Clo. *Stam* —3A **4**
Cornistall Bldgs. *Stam* —4G **5**
Cornwall Rd. *Stam* —3F **5**
Coronation Av. *Whit* —3E **29**
Cosgrove Clo. *Pet* —5E **11**

Cotswold Clo. *Pet* —2G **11**
Cottesmore Clo. *Pet* —1E **17**
Cottesmore Rd. *Stam* —4C **4**
Cotton End. *Bret* —1C **16**
Council St. *Pet* —5F **11**
Coventry Clo. *Pet* —6D **8**
Coverdale Wlk. *Pet* —4C **8**
Covert, The. *Pet* —4D **16**
Cowgate. *Pet* —3H **17** (4B **2**)
Cow La. *Cas* —3D **14**
Cowper Rd. *Pet* —4H **11**
Cowslip Dri. *Deep J* —2E **7**
Cow Way. *East* —3H **29**
Crabapple Grn. *Ort Wi* —1H **21**
Crabtree. *Pet* —2E **8**
Craig St. *Pet* —2H **17** (1B **2**)
Crane Av. *Yax* —3D **26**
Cranemore. *Pet* —5C **8**
Cranford Dri. *Pet* —1E **17**
Crawthorne Rd. *Pet*
   —2A **18** (1D **2**)
Crawthorne St. *Pet*
   —2B **18** (1E **3**)
Crease Bank. *Whit* —4B **28**
Creighton Ho. *Pet* —3E **3**
Crescent Bri. *Pet* —3H **17**
Crescent Clo. *Whit* —3F **29**
Crescent Rd. *Whit* —3E **29**
Crescent, The. *Eye* —1H **13**
Crescent, The. *Ort L* —2E **23**
Crescent, The. *Wood* —6G **17**
Crester Dri. *Pet* —6E **9**
Cripple Sidings La. *Pet*
   —5A **18**
Crocus Gro. *Pet* —3A **12**
Crocus Way. *Pet* —3D **26**
Cromarty Rd. *Stam* —3C **4**
Cromwell Clo. *N'boro* —6F **7**
Cromwell Rd. *Pet*
   (in two parts) —1H **17** (1B **2**)
Cromwell Way. *Mkt D* —2B **6**
Cropston Rd. *Pet* —4E **13**
Cross Drove. *Whit* —6A **28**
Cross Keys La. *Stam* —4F **5**
Cross Rd. *Mkt D* —1G **7**
Cross Rd. *Whit* —3C **28**
Cross St. *Far* —5D **24**
Cross St. *Pet* —3A **18** (4C **2**)
Crossway Hand. *Whit* —2A **28**
Crowfields. *Deep J* —3G **7**
Crowhurst. *Pet* —4E **9**
Crowland Rd. *Eye* —1H **13**
Crown La. *Tin* —6A **4**
Crown St. *Pet* —4G **11**
Crown St. *Stam* —4F **5**
Crowson Way. *Deep J* —3E **7**
Croyland Rd. *Pet* —2F **11**
Cumber Ga. *Pet* —3A **18** (4C **2**)
Cumberland Ho. *Pet* —3E **3**
Curlew Clo. *Whit* —2E **29**
Curlew Gro. *Stan* —6D **18**
Curlew Wlk. *Mkt D* —3D **6**
Cygnet Pk. Ind. Est. *Hamp H*
   —4G **23**
Cypress Clo. *Pet* —3C **16**

Daffodil Gro. *Pet* —6C **18**
Dalby St. *Pet* —3C **12**
Dale Clo. *Ort Wa* —2B **22**
Danes Clo. *Pet* —1C **18**
Daniel Ct. *Stam* —5G **5**
Danish Ct. *Wer* —5C **8**

Gayton Ct.—Ivy Gro.

Gayton Ct. *Pet* —6E **11**
Gazeley Gdns. *Far* —5C **24**
Geneva St. *Pet* —2A **18** (2C **2**)
George St. *Pet* —5H **17**
Georgian Ct. *Pet* —4G **17**
Giddings Clo. *Pet* —3B **22**
Giddon's Drove. *N'boro* —6H **7**
Gildale. *Pet* —5F **9**
Gildenburgh Av. *Pet* —6D **12**
Gilmorton Dri. *Pet* —4D **12**
Gilpin St. *Pet* —5G **11**
Gipsy La. *Stam* —2H **5**
Girton Way. *Stam* —2E **5**
Gladstone St. *Pet*
—6G **11** (1A **2**)
Glamis Gdns. *Pet* —3D **16**
Glastonbury Clo. *Eye* —1G **13**
Glatton Dri. *Pet* —1D **24**
Glebe Av. *Ort Wa* —3A **22**
Glebe Ct. *Pet* —5B **18**
Glebe Rd. *Pet* —5A **18**
Glemsford Rise. *Pet* —6E **17**
Glencoe Way. *Ort S* —4H **21**
Glen Cres. *Stam* —2G **5**
Glendale. *Ort Wi* —1H **21**
Gleneagles. *Ort Wa* —1B **22**
Gleneagles. *Stam* —3B **4**
Glenfields. *Whit* —2B **28**
Glen, The. *Pet* —6B **18**
Glenton St. *Pet* —3C **18** (3G **3**)
Glinton By-Pass. *Glin* —2A **8**
Glinton Rd. *Milk N* —1G **9**
Global Bus. Pk. *Pet* —6F **11**
Gloucester Rd. *Pet* —6B **18**
Gloucester Rd. *Stam* —3F **5**
Godric Sq. *Pet* —1F **23**
Godsey Cres. *Mkt D* —3D **6**
Godsey La. *Mkt D* —2C **6**
Godwit Clo. *Whit* —1F **29**
Goffsmill. *Bret* —2C **16**
Goldcrest Ct. *Pet* —3C **12**
Goldhay Way. *Ort G* —4A **22**
Goldie La. *Ort Wa* —1B **22**
Goldsmiths La. *Stam* —4G **5**
Goodacre. *Ort G* —3C **22**
Goodwin Wlk. *Pet* —3D **8**
Goodwood Rd. *Bret* —2B **16**
Gordon Av. *Pet* —6G **17**
Gordon Way. *Ort L* —6E **17**
Gorse Grn. *Pet* —3B **12**
Gosling Drove. *Far* —6G **25**
Gostwick. *Ort B* —2H **21**
Goy Clo. *Pet* —4H **11**
Gracechurch Ct. *Pet* —6C **12**
Gracious St. *Whit* —3C **28**
Grafham Clo. *Pet* —2E **25**
Grafton Av. *Pet* —2E **17**
Grampian Way. *Pet* —2G **11**
Granby St. *Pet* —3B **18** (4E **3**)
Grange Av. *Pet* —5A **12**
Grange Cres. *Ort L* —2C **22**
Grange Rd. *Pet* —2F **17**
Gransley Rise. *Pet* —6E **11**
Granville Av. *N'boro* —6F **7**
Granville St. *Pet*
—1A **18** (1D **2**)
Grasmere Gdns. *Pet* —6F **9**
Gravel Wlk. *Pet* —4A **18** (5D **2**)
Gray Ct. *Pet* —4G **11**
Gt. Drove. *Yax* —4E **27**
Gt. Northern Cotts. *Pet*
—5G **11**
Gt. North Rd. *Gt Cas* —1A **4**

Grebe Clo. *Whit* —2F **29**
Greenacres. *Pet* —5C **8**
Green Farm Clo. *Cas* —3C **14**
Greengate Ct. *Pet* —1C **18**
Greenham. *Bret* —2C **16**
Green La. *Pet* —1A **18**
Green La. *Stam* —2F **5**
Green La. *Yax* —3B **26**
Green Man La. *Mar* —2A **10**
Green, The. *Cas* —3C **14**
Green, The. *Glin* —1A **8**
Green, The. *Pet* —6E **9**
Green, The. *Yax* —4C **26**
Green Wlk. *Mkt D* —3B **6**
Gresham Sq. *Pet* —2E **19**
Gresley Dri. *Stam* —5F **5**
Gresley Way. *Pet* —4E **11**
Gretton Clo. *Pet* —6E **17**
Griffiths Ct. *Ort B* —2A **22**
Grimshaw Rd. *Pet* —5B **12**
Grimsthorpe Clo. *Mkt D* —3B **6**
Grove Ct. *Pet* —5H **17**
Grovelands. *Pet* —3G **17**
Grove La. *Long* —3C **16**
Grove St. *Pet* —5H **17**
Grove, The. *Mkt D* —3C **6**
Grove, The. *Whit* —4E **29**
Guildenburgh Cres. *Whit*
—3E **29**
Gull Way. *Whit* —2E **29**
Gullymore. *Bret* —3B **10**
Gunthorpe Ridings. *Pet* —6H **9**
Gunthorpe Rd. *Newb* —6H **9**
Gunthorpe Rd. *Pet* —1F **11**
Gurnard Leys. *Pet* —2C **10**
Guthlac Av. *Pet* —3F **11**
Gwash Way. *Stam* —2H **5**

Hacke Rd. *Pet* —2F **17**
Haddonbrook Bus. Cen. *Ort S*
—5G **21**
Haddon Clo. *Pet* —2E **25**
Haddon Rd. *Pet* —2G **17**
Haddon Rd. *Stam* —3D **4**
Haddon Way. *Far* —5B **24**
Hadley Rd. *Pet* —2F **11**
Hadrians Ct. *Pet* —5B **18**
Half Acre Drove. *East* —3G **29**
Halfleet. *Mkt D* —2B **6**
Hallaton Rd. *Pet* —3D **12**
Hallcroft Rd. *Whit* —3B **28**
Hall Farm. *Mkt D* —2C **6**
Hallfields La. *Pet* —1G **11**
Hall La. *Pet* —5E **9**
Hall Mdw. Rd. *Mkt D* —1G **7**
Hambleton Rd. *Stam* —5C **4**
Ham La. *Ort Wa* —6H **15**
Hampton Ct. *Pet* —5E **11**
Hanbury. *Ort G* —4B **22**
Hankey St. *Pet* —1H **17**
Hanover Ct. *Bret* —3C **10**
Hardwick Ct. *Pet* —3D **16**
Hardwick Rd. *Stam* —3D **4**
Hardys La. *Whit* —4D **28**
Harebell Clo. *Pet* —2B **12**
Harewood Gdns. *Pet* —3D **16**
Hargate Way. *Hamp H* —5E **23**
Harlech Grange. *Pet* —5C **16**
Harlton Clo. *Pet* —2E **25**
Harpers Clo. *Whit* —3C **28**
Harrier Pk. *Ort S* —5H **21**
Harrison Clo. *Bret* —3B **16**

Harris St. *Pet* —6H **11**
Hartford Ct. *Pet* —1D **24**
Hart's La. *Whit* —3C **28**
Hartwell Ct. *Pet* —6F **11**
Hartwell Way. *Pet* —5D **10**
Harvester Way. *Pet*
—4C **18** (5H **3**)
Hastings Rd. *Pet* —1E **11**
Havelock Dri. *Pet* —1E **25**
Haveswater Clo. *Pet* —1G **11**
Hawkshead Way. *Pet* —6G **9**
Hawthorn Clo. *Mkt D* —2C **6**
Hawthorn Dri. *Whit* —4E **29**
Hawthorn Rd. *Pet* —5C **12**
Hawthorn Rd. *Yax* —4D **26**
Haywards Fld. *Pet* —4C **16**
Hazelcroft. *Pet* —5C **8**
Hazel Gro. *Stam* —3B **4**
Headlands Way. *Whit* —2C **28**
Heather Av. *Pet* —3A **12**
Heatherdale Clo. *Far* —2C **24**
Heath Row. *Pet* —2B **12**
Heaton Clo. *Pet* —2D **16**
Hedgelands. *Pet* —3E **9**
Helmsdale Gdns. *Pet* —1D **10**
Helmsley Ct. *Pet* —2F **25**
Helpston Rd. *Ail & Glin*
—3B **14**
Helpston Rd. *Glin* —1A **8**
Heltwate. *Bret* —4E **11**
Heltwate Ct. *Bret* —4D **10**
Hemingford Cres. *Pet* —1E **25**
Hennerley Dri. *Whit* —2D **28**
Henry Ct. *Pet* —1A **18** (1C **2**)
Henry Penn Wlk. *Pet* —6C **2**
Henry St. *Pet* —1A **18**
Henshaw. *Pet* —5E **13**
Hereward Clo. *Pet*
—3B **18** (4F **3**)
Hereward Cross. *Pet*
—3A **18** (3D **2**)
Hereward Rd. *Pet*
—3B **18** (4F **3**)
Hereward Way. *Deep J* —4F **7**
Heritage Ct. *Pet* —6C **12**
Herlington. *Ort M* —3D **22**
Herlington Cen. *Ort M* —3D **22**
Hermitage, The. *Stam* —4D **4**
Heron Clo. *Whit* —2E **29**
Heron Ct. *Pet* —1D **24**
Heron Pk. *Pet* —5F **13**
Heronry Dri. *Milt* —3A **16**
Herrick Clo. *Pet* —3G **11**
Hetley. *Ort G* —3C **22**
Hexham Ct. *Pet* —2D **18** (1H **3**)
Heyford Clo. *Pet* —1H **11**
Hickling Wlk. *Pet* —6G **9**
Hicks La. *Pet* —2H **23**
Highbury St. *Pet* —1H **17**
High Causeway. *Whit* —3D **28**
(in two parts)
Highclere Rd. *Hamp H* —4F **23**
Highfield Wlk. *Yax* —3E **27**
Highlands Way. *Stam* —4D **4**
High St. Castor, *Cas* —3D **14**
High St. Eye, *Eye* —1G **13**
High St. Glinton, *Glin* —1A **8**
High St. Market Deeping,
Mkt D —4D **6**
High St. Peterborough, *Pet*
—1H **23**
High St. St Martin's, *Stam*
—5G **5**

High St. Stamford, *Stam*
—4F **5**
Hillary Clo. *Stam* —3H **5**
Hill Clo. *Pet* —6D **12**
Hillcrest Av. *Yax* —4C **26**
Hill La. *Water* —6A **14**
Hillside Wlk. *Yax* —3E **27**
Hillward Clo. *Ort L* —1E **23**
Hinchcliffe. *Ort G* —5A **22**
Hod Fen Drove. *Yax* —6C **26**
Hodgson Av. *Pet* —3C **8**
Hodney Rd. *Eye* —1F **13**
Hog Fen Drove. *Yax* —4E **27**
Holcroft. *Ort M* —4D **22**
Holdfield. *Pet* —5D **10**
Holdich St. *Pet* —3G **17**
Holgate La. *Pet* —3D **8**
Holkham Rd. *Ort S* —4H **21**
Holland Av. *Pet* —2F **11**
Holland Clo. *Mkt D* —2B **6**
Holland Clo. *Pet* —2F **11**
Holland Rd. *Stam* —3G **5**
Holly Wlk. *Hamp H* —4F **23**
Holly Way. *Deep J* —4E **7**
Holme Clo. *Ail* —3B **14**
Holme Rd. *Yax* —5C **26**
Holmes Rd. *Glin* —2B **8**
Holmes Way. *Pet* —1G **11**
Holywell Clo. *Pet* —4C **16**
Holywell Way. *Pet* —3B **16**
Home Pasture. *Pet* —4D **8**
Honey Hill. *Pet* —2A **12**
Honeysuckle Clo. *Pet* —6G **17**
Horsegate. *Deep J* —4E **7**
Horsegate. *Whit* —3C **28**
Horsegate La. *Whit* —3C **28**
Horseshoe La. Stam —4F **5**
(off Sheep Mkt.)
Horton Wlk. *Pet* —6F **11**
Houghton Av. *Pet* —2F **25**
Howland. *Ort G* —4C **22**
Hoylake Dri. *Far* —2C **24**
Hungarton Ct. *Pet* —3D **12**
Hunsbury Clo. *Whit* —5E **29**
Hunting Av. *Pet* —6H **17**
Huntly Gro. *Pet* —1A **18**
Huntly Rd. *Pet* —6G **17**
Huntly Sq. Ort Wa —3A **22**
(off Glebe Av.)
Huntsmans Ga. *Bret* —2B **16**
Hurn Rd. *Wer* —1A **10**
Hyholmes. *Bret* —4B **10**
Hythegate. *Pet* —5F **9**

Ibbott Clo. *Pet* —2E **25**
Ihlee Clo. *Pet* —2G **11**
Ilex Clo. *Hamp H* —4E **23**
Iliffe Ga. *Pet* —1H **11**
Illston Pl. *Pet* —4E **13**
Ingleborough. *Pet* —6A **12**
Inglis Ct. *Bret* —2C **10**
Inhams Ct. *Whit* —4D **28**
Inhams Rd. *Whit* —4D **28**
Irchester Pl. *Pet* —6F **11**
Irnham Rd. *Stam* —3G **5**
Ironmonger St. *Stam* —4G **5**
Irving Burgess Clo. *Whit*
—2B **28**
Isham Rd. *Pet* —1F **17**
Itter Cres. *Pet* —2G **11**
Ivatt Way. *Pet* —5E **11**
Ivy Gro. *Pet* —1F **11**

Ivy La. *Whit* —3C **28**
Ixworth Clo. *Eye* —1G **13**

James Gdns. *Whit* —3D **28**
Jasmine Ct. *Ort G* —5A **22**
Jasmine Way. *Yax* —2D **26**
Jellings Pl. *Pet* —1A **18**
Joan Wake Clo. *Mkt D* —2C **6**
John Bird Wlk. *Far* —5C **24**
John Eve Way. *Mkt D* —2C **6**
John King Gdns. *Stan* —1C **24**
Johnson Wlk. *Pet* —4H **11**
Jones La. *Whit* —3H **29**
Jordan M. *Pet* —2B **18** (2E **3**)
Jorose Way. *Bret* —2B **16**
Joseph Odam Way. *Lyn W*
—3F **21**
Jubilee Ct. *Bret* —4D **10**
Jubilee St. *Pet* —5H **17**
Juniper Cres. *Pet* —3C **16**

Keats Gro. *Stam* —4C **4**
Keats Way. *Pet* —4G **11**
Keble Clo. *Stam* —2E **5**
Keble Ct. *Stam* —2E **5**
Keeton Rd. *Pet* —4G **11**
Kelful Clo. *Whit* —3H **29**
Kelso Ct. *Pet* —2E **11**
Kendal Clo. *Pet* —1H **11**
Kendrick Clo. *Pet* —1D **24**
Kenilworth Av. *Pet* —2F **25**
Kennels Dri. *Milt* —1H **11**
Kennet Gdns. *Pet* —2G **11**
Kentmere Pl. *Pet* —1H **11**
Kent Rd. *Pet* —3G **17**
Kesteven Clo. *Mkt D* —3E **7**
Kesteven Dri. *Mkt D* —2B **6**
Kesteven Rd. *Stam* —2F **5**
Kesteven Wlk. *Pet*
—3B **18** (3E **3**)
Kestrel Ct. *Bret* —3B **16**
Keswick Clo. *Pet* —6H **9**
Kettering Rd. *Wot* —6F **5**
Keys Pk. *Pet* —4F **13**
Kildare Dri. *Pet* —1E **17**
Kilham. *Ort G* —5A **22**
Kilverstone. *Wer* —2D **8**
Kimbolton Ct. *Pet*
—2H **17** (1B **2**)
Kingfisher Clo. *Yax* —3B **26**
Kingfisher Rd. *Whit* —2E **29**
Kingfishers. *Ort Wi* —1H **21**
Kingsbridge Ct. *Pet* —4C **8**
King's Delph. *Whit* —2H **25**
King's Delph Drove. *Far*
(in two parts) —6E **25**
King's Delph Highway. *Far*
—5G **25**
Kings Dyke Clo. *Pet* —1E **25**
King's Gdns. *Pet* —6A **12**
Kingsley Rd. *Pet*
—1C **18** (1H **3**)
Kings Mill La. *Stam* —5F **5**
Kings Rd. *Pet* —1B **24**
King's Rd. *Stam* —3F **5**
Kingston Dri. *Pet* —2E **25**
King St. *Pet* —3H **17** (4C **2**)
Kinnears Wlk. *Ort G* —5B **22**
Kipling Clo. *Stam* —4C **4**
Kipling Ct. *Pet* —3G **11**
Kirby Wlk. *Pet* —1E **17**

Kirkmeadow. *Bret* —3C **10**
Kirkstall. *Ort G* —4D **22**
Kirkton Ga. *Pet* —4C **16**
Kirkwood Clo. *Pet* —4G **17**
Knight Clo. *Deep J* —3E **7**
Knole Wlk. *Pet* —2D **16**

Laburnham Gro. *Pet* —3B **12**
Laburnum Av. *Yax* —3D **26**
Ladybower Way. *Pet* —6G **9**
Lady Charlotte Rd. *Hamp H*
—4F **23**
Lady Lodge Dri. *Ort Wa*
—2C **22**
Lady Margaret's Av. *Mkt D*
—3D **6**
Ladysmith Av. *Whit* —2E **29**
Lakeside. *Pet* —5F **9**
Lambert M. *Stam* —5G **5**
Lambes Ct. *Wer* —5C **8**
Lambeth Wlk. *Stam* —3E **5**
Lammas Rd. *Pet* —4A **12**
Lamport Clo. *Mkt D* —2B **6**
Lancashire Ga. *Pet*
—3B **18** (4F **3**)
Lancaster Ct. *Yax* —3E **27**
Lancaster Rd. *Stam* —3F **5**
Lancaster Wlk. *Yax* —3D **26**
Lancaster Way. *Mkt D* —1C **6**
Lancaster Way. *Yax* —3D **26**
Lancing Clo. *Pet* —6E **9**
Landsdowne Rd. *Yax* —3D **26**
Landy Grn. Way. *Cas* —5E **15**
Langdyke. *Pet* —5F **13**
Langford Rd. *Pet* —6A **18**
Langley. *Bret* —3D **10**
Langton Rd. *Pet* —4D **12**
Lansdowne Wlk. *Pet* —6F **17**
Lapwing Dri. *Whit* —1F **29**
Larch Clo. *Yax* —3D **26**
Larch Gro. *Pet* —5C **12**
Larklands. *Pet* —4D **16**
Lark Ri. *Mkt D* —3D **6**
Larkspur Wlk. *Pet* —6F **9**
Latham Av. *Ort L* —1E **23**
Lattersey Clo. *Whit* —3E **29**
Launde Gdns. *Stam* —5C **4**
Laurel Clo. *Yax* —5B **26**
Lavender Clo. *Yax* —3D **26**
Lavender Cres. *Pet* —3A **12**
Lavender Way. *Stam* —2B **4**
Lavenham Ct. *Pet* —6E **17**
Lavington Grange. *Pet* —5E **13**
Lawn Av. *Pet* —4A **12**
Lawn Clo. *Yax* —5C **26**
Lawrence Av. *Far* —5C **24**
Law's Clo. *Milk N* —1H **9**
Lawson Av. *Pet* —1D **24**
Laxton Sq. *Pet* —3A **18** (3D **2**)
Leading Drove. *Yax* —6B **26**
(in two parts)
Lea Gdns. *Pet* —4H **17**
Ledbury Rd. *Pet* —2D **16**
Ledham. *Ort B* —3H **21**
Lee Rd. *Yax* —5C **26**
Leeson Ho. *Pet* —4E **3**
Lees, The. *Deep J* —3F **7**
Leicester Ter. *Pet* —1E **3**
Leighton. *Ort M* —3E **23**
Leinsters Clo. *Pet* —3F **17**
Leofric Sq. *Pet* —2E **19**
Lessingham. *Ort B* —3H **21**

Lethbridge Rd. *Pet* —1G **11**
Levens Wlk. *Pet* —2D **16**
Lewes Gdns. *Pet* —6E **9**
Leys, The. *Pet* —4C **16**
Lichfield Av. *Pet* —6D **8**
Lidgate Clo. *Pet* —5E **17**
Lilac Rd. *Pet* —4C **12**
Lilac Wlk. *Yax* —3D **26**
Limes, The. *Cas* —4D **14**
Lime Tree Av. *Mkt D* —2B **6**
Lime Tree Av. *Pet* —1H **17**
Lime Tree Clo. *Yax* —2D **26**
Linchfield Clo. *Deep J* —3F **7**
Linchfield Rd. *Mkt D* —1E **7**
Lincoln Clo. *Mkt D* —2B **6**
Lincoln Rd. *Glin & Pet* —1A **8**
(in two parts)
Lincoln Rd. *Mkt D* —4C **6**
Lincoln Rd. *Pet* —4F **11** (3C **2**)
Lincoln Rd. *Stam* —2G **5**
Lincoln Rd. *Wer* —5C **8**
Lindens, The. *Pet* —1C **2**
Lindisfarne Rd. *Eye* —2G **13**
Lindridge Wlk. *Pet* —2C **16**
Lindsey Av. *Mkt D* —2B **6**
Lindsey Clo. *Pet* —2F **11**
Lindsey Ct. *Deep J* —4F **7**
Lindsey Rd. *Stam* —3G **5**
Ling Gth. *Pet* —3B **12**
Lingwood Pk. *Pet* —5C **16**
Link Rd. *Pet* —2H **17** (1A **2**)
Linkside. *Bret* —2D **10**
Linley Rd. *Whit* —4D **28**
Linnet. *Ort Wi* —2H **21**
Linnet Clo. *Mkt D* —3D **6**
Lister Rd. *Pet* —4H **11**
Litchfield Clo. *Yax* —4D **26**
Lit. Casterton Rd. *Stam* —1D **4**
Little Clo. *Eye* —2H **13**
Lit. John's Clo. *Bret* —2B **16**
Littlemeer. *Ort Wa* —3B **22**
Livermore Grn. *Pet* —3C **8**
Locks Clo. *Deep J* —5H **7**
Loder Av. *Bret* —3B **16**
Loire Ct. *Pet* —1G **17**
Lombardy Dri. *Pet* —3C **12**
London Rd. *Yax & Pet*
—5A **26** (6D **2**)
London St. *Whit* —4C **28**
Long Causeway. *Pet*
—3A **18** (4C **2**)
Long Pasture. *Pet* —4D **8**
Longthorpe Clo. *Pet* —3C **16**
Longthorpe Grn. *Pet* —4D **16**
Longthorpe Ho. *Long* —3B **16**
Longthorpe Parkway. *Long*
—5D **16**
Longwater. *Ort L* —1D **22**
Lonsdale Rd. *Stam* —4C **4**
Lornas Fld. *Hamp H* —4F **23**
Losecoat Clo. *Stam* —1H **5**
Lovells Ct. *Whit* —3D **28**
(off High Causeway)
Low Cross. *Whit* —2C **28**
Lowick Gdns. *Pet* —6E **11**
Lowther Gdns. *Pet* —1F **11**
Loxley. *Pet* —5C **8**
Luddington Rd. *Pet* —2F **11**
Luffenham Clo. *Stam* —4C **4**
Lutton Gro. *Pet* —6E **11**
Lyme Wlk. *Pet* —1E **17**
Lynch Cotts. *Ort Wi* —1G **21**
Lynch Wood. *Pet* —2F **21**

Lyndale Pk. *Ort Wi* —1G **21**
Lyndon Way. *Stam* —4C **4**
Lynton Rd. *Pet* —5H **11**
Lythemere. *Ort M* —3E **23**
Lyvelly Gdns. *Pet* —5E **13**

Mace Rd. *Pet* —2D **24**
Maffit Rd. *Ail* —3B **14**
Magee Rd. *Pet* —2F **11**
Magnolia Av. *Pet* —3C **16**
Maiden La. *Stam* —4G **5**
Main St. *Ail* —3B **14**
Main St. *Far* —5C **24**
Main St. *Gt Cas* —1A **4**
Main St. *Yax* —5C **26**
Malborne Way. *Ort M* —4D **22**
Mallaird Ct. *Stam* —5F **5**
Mallard Bus. Cen. *Bret* —2D **10**
Mallard Clo. *Whit* —2E **28**
Mallard Rd. *Pet* —2C **10**
Mallory La. Stam —4F 5
(off All Saints St.)
Mallory Rd. *Pet* —3D **18** (3H **3**)
Malting Sq. *Yax* —3D **26**
Maltings, The. *Wot* —6G **5**
Malting Yd. *Stam* —5G **5**
Malvern Rd. *Pet* —1G **11**
Manasty Rd. *Ort S* —5H **21**
Mancetter Sq. *Pet* —2D **10**
Mandeville. *Ort G* —3B **22**
Manor Av. *Pet* —6B **18**
Manor Clo. *Yax* —4B **26**
(in two parts)
Manor Dri. *Pet* —6H **9**
Manor Farm La. *Cas* —3C **14**
Manor Gdns. *Pet* —6C **18**
Manor Gro. Cen. *Pet* —2E **19**
Manor Ho. Ct. *Deep J* —4F **7**
Manor Ho. St. *Pet*
—2A **18** (2C **2**)
Manor Vw. *Whit* —4D **28**
Manor Way. *Deep J* —4F **7**
Mansfield Ct. *Pet* —6C **12**
Manton. *Bret* —2C **16**
Maple Ct. *Yax* —3D **26**
Maple Gro. *Pet* —4B **12**
Maples, The. *Pet* —6F **13**
Mardale Gdns. *Pet* —1H **11**
Marholm Rd. *Bret* —2C **10**
Marholm Rd. *Cas & Pet*
—3E **15**
Marholm Rd. *Pet* —2D **10**
Marigolds. *Deep J* —2E **7**
Market Deeping By-Pass.
Mkt D —1B **6**
Market Ga. *Mkt D* —4C **6**
Market Pl. *Mkt D* —4C **6**
Market Pl. *Whit* —3C **28**
Market St. *Whit* —3C **28**
Market Way. *Pet*
—3A **18** (3D **2**)
Markham Retail Pk. *Stam*
—2H **5**
Marlborough Clo. *Yax* —4C **26**
Marlowe Gro. *Pet* —3G **11**
Marne Av. *Pet* —2E **11**
Marne Rd. *Whit* —5E **29**
Marrigold Clo. *Stam* —3A **4**
Marriott Ct. *Pet* —6E **13**
Marshall's Way. *Far* —5C **24**
Marsham. *Ort G* —4B **22**
Martin Ct. *Pet* —5E **9**

Martin Ct. *Whit* —3C **28**
Martinsbridge. *Pet* —4F **13**
Martins Way. *Ort Wa* —2B **22**
Mary Armyne Rd. *Pet* —2D **22**
Mary Walsham Clo. *Pet*
—2E **25**
Maskew Av. *Pet* —5G **11**
(in two parts)
Masterton Clo. *Stam* —2H **5**
Masterton Rd. *Stam* —2G **5**
Matley. *Ort B* —2A **22**
Maud Swift Ct. *Pet* —1B **24**
Maxey Clo. *Mkt D* —3B **6**
Maxwell Rd. *Pet* —1F **23**
Mayfield Rd. *Pet* —4A **12**
Mayfield Rd. *Whit* —3H **29**
Mayor's Wlk. *Pet*
(in two parts) —2F **17** (2A **2**)
Mead Clo. *Pet* —2D **10**
Meadenvale. *Pet* —5E **13**
Meadow Gro. *Pet* —2B **12**
Meadow Rd. *Mkt D* —3D **6**
Meadow Rd. *Milk N* —1E **9**
Meadows, The. *Mkt D* —3D **6**
Meadowsweet. *Stam* —2A **4**
Meadow Vw. *Whit* —3D **28**
Meadow Wlk. *Yax* —3E **27**
Mead, The. *Pet* —2D **10**
Meadway. *Mkt D* —2B **6**
Mealsgate. *Pet* —1H **11**
Medbourne Gdns. *Pet* —3D **12**
Medeshill. *Ort M* —3E **23**
Medworth. *Ort G* —4B **22**
Meggan Ga. *Pet* —4C **5**
Melancholy Wlk. *Stam* —5F **5**
Melbourne Rd. *Stam* —3H **5**
Melford Clo. *Pet* —4C **16**
Mellows Clo. *Pet*
—2C **18** (2H **3**)
Mellows Ct. *Pet* —2C **18** (2H **3**)
Melrose Clo. *Stam* —3C **4**
Melrose Dri. *Pet* —6A **18**
Mendip Gro. *Pet* —1G **11**
Mercian Ct. *Pet* —6D **18**
Mere Drove. *Yax* —5D **26**
Merefield Vw. *Whit* —2D **28**
Merelade Gro. *Pet* —4C **8**
Mere Vw. *Yax* —3E **27**
Mere Vw. Ind. Est. *Yax* —3E **27**
Meriton. *Ort G* —4B **22**
Merlin Bus. Pk. *Pet* —1C **10**
Metro Cen., The. *Pet* —1F **23**
Mewburn. *Bret* —2C **10**
Meynell Wlk. *Pet* —2D **16**
(in two parts)
Mickle Ga. *Pet* —4C **16**
Middlefield. *Hamp H* —4F **23**
Middleham Clo. *Pet* —2F **25**
Middle Pasture. *Pet* —4D **8**
Middle Rd. *Newb* —1H **9**
Middle St. *Far* —5C **24**
Middleton. *Bret* —1C **16**
Middletons Rd. *Yax* —4C **26**
Midgate. *Pet* —3A **18** (3D **2**)
Midland Rd. *Pet*
—2G **17** (3A **2**)
Mildmay Rd. *Pet* —3F **11**
Mile Drove. *Yax* —4F **27**
Milk and Water Drove. *Far*
—3G **25**
Milking Nook Rd. *Milk N*
—1G **9**
Mill Cres. *Ort Wa* —3A **22**

Millfield Rd. *Deep J* —4F **7**
Millfield Rd. *Mkt D* —2A **6**
Millfield Way. *Whit* —4E **29**
(in two parts)
Mill La. *Alw* —2E **21**
Mill La. *Tin* —6B **4**
Mill La. *Water* —6A **14**
Mill Rd. *Cas* —1D **20**
Mill Rd. *Max* —6A **6**
Mill Rd. *Ort Wa* —3A **22**
Mill Rd. *Whit* —4D **28**
Mill Vw. *Alw* —2E **21**
Milners Row. *Stam* —4G **5**
(off Gas St.)
Milnyard Sq. *Pet* —5G **21**
Milton Bus. Pk. *Fen* —3E **19**
Milton Rd. *Pet* —6A **18**
Milton Way. *Bret* —2A **16**
Mina Clo. *Pet* —3D **24**
Minerva Bus. Pk. *Lyn W*
—2F **21**
Minster Precincts. *Pet*
—3A **18** (4D **2**)
Misterton. *Ort G* —4A **22**
Misterton Ct. *Ort G* —4A **22**
Moggswell La. *Pet* —3D **22**
Monarch Av. *Pet* —1A **24**
Monks Clo. *Whit* —2C **28**
Monks Dri. *Eye* —2G **13**
Monks Gro. *Pet* —4C **8**
Montagu Rd. *Pet* —3F **11**
Montrose Clo. *Stam* —3C **4**
Monument Ct. *Pet* —1E **3**
Monument St. *Pet*
—2A **18** (1D **2**)
Moore's La. *Eye* —1H **13**
Moorfield Rd. *Pet* —2F **17**
Moorhen Rd. *Whit* —2E **29**
Moray Clo. *Stam* —3B **4**
Morborne Clo. *Pet* —1D **24**
Moreton's Clo. *Whit* —2E **29**
Morland Ct. *Pet* —5D **8**
Morley Way. *Pet* —2F **23**
Morpeth Clo. *Ort L* —1E **23**
Morpeth Rd. *Pet* —2E **17**
Morris St. *Pet* —3B **18** (3F **3**)
Moss Ct. *Pet* —6F **13**
Moulton Gro. *Pet* —5E **11**
Mountbatten Av. *Stam* —3E **5**
Mountbatten Av. *Yax* —4C **26**
Mountbatten Way. *Pet* —5D **10**
Mountbatten Way. *Whit*
—3F **29**
Mt. Pleasant. *Pet* —6C **18**
Mountsteven Av. *Pet* —2E **11**
Mowbray Rd. *Pet* —2B **10**
Mulberry Clo. *Whit* —5E **29**
Mulberry Clo. *Yax* —4E **27**
Muskham. *Bret* —1B **16**
Muswell Rd. *Pet* —1G **17**
Myrtle Av. *Pet* —4B **12**
Myrtle Ct. *Pet* —4C **12**
Myrtle Gro. *Pet* —4C **12**
Myrtle Ho. Mobile Home Pk.
Pet —6F **13**

Nab La. *Pet* —2H **11**
Nags Head Pas. *Stam* —4G **5**
(off Ironmonger St.)
Nairn Rd. *Stam* —4C **4**
Nansicles Rd. *Ort L* —1F **23**
Napier Pl. *Ort Wi* —1G **21**

Narrow Drove. *Yax* —4G **27**
Naseby Clo. *Pet* —6E **11**
Nathan Clo. *Pet* —3C **16**
Neaverson Rd. *Glin* —2B **8**
Nelson Pl. *Pet* —1E **25**
Nene Clo. *Whit* —4D **28**
Nene Parkway. *Long & Pet*
—4B **16**
Nene St. *Pet* —3C **18** (3G **3**)
Nene Way. *Pet* —5A **16** (6A **2**)
Newark Av. *Pet* —5B **12**
Newark Cen., The. *Pet* —1F **19**
Newark Rd. *Pet* —3E **19**
Newborn Clo. *Pet* —2E **25**
Newborough Rd. *Pet* —1C **12**
Newby Clo. *Pet* —2D **16**
Newcastle Dri. *Ort L* —1F **23**
Newcomb Ct. *Stam* —4F **5**
Newcombe Way. *Ort S*
—4H **21**
New Cross Rd. *Stam* —4F **5**
Newgates. *Stam* —4G **5**
Newham Rd. *Stam* —2E **5**
Newhaven Est. Mobile Home
Pk. *Whit* —2B **28**
Newlands Rd. *Whit* —1F **29**
Newmarket Clo. *Pet* —5B **12**
New Mdw. Drove. *Far* —5D **24**
New Rd. *Eye* —1H **13**
New Rd. *Ort Wa* —3A **22**
(in two parts)
New Rd. *Pet* —3A **18** (3D **2**)
New Rd. *Whit* —4D **28**
(in two parts)
New Rd. *Wood* —5G **17**
New Rd. *Yax* —6A **22**
New Row. *Deep J* —4E **7**
New St. *Stam* —3G **5**
Newton Ct. *Pet* —2H **11**
Nicholas Taylor Gdns. *Bret*
—1B **16**
Nicholls Av. *Pet* —2G **17**
Nightingale Ct. *Pet* —1A **12**
Nightingale Dri. *Yax* —3B **26**
Nightingales. *Mkt D* —3D **6**
Norburn. *Bret* —3D **10**
Norfolk Sq. *Stam* —3F **5**
Norfolk St. *Pet* —1H **17**
Norham Ct. *Pet* —2G **25**
Norman Clo. *Whit* —2D **28**
Norman Rd. *Pet* —1C **18**
Normanton Rd. *Pet* —4D **12**
North Bank. *Pet*
—4C **18** (5G **3**)
Northbank Rd. *Pet*
—2D **18** (2H **3**)
Northey Rd. *Pet* —2H **19**
N. Fen Rd. *Glin* —1A **8**
Northfield Rd. *Mkt D* —1B **6**
Northfield Rd. *Pet* —4H **11**
Northfields Ind. Est. *Mkt D*
—1D **6**
Northgate. *Whit* —2C **28**
Northgate Clo. *Whit* —2C **28**
Northminster. *Pet*
—2A **18** (2D **2**)
North St. *Pet* —3A **18** (3C **2**)
North St. *Stam* —4F **5**
North St. *Stan* —5C **18**
North Ter. *Parn* —5E **13**
Northumberland Av. *Stam*
—3E **5**
Norton Rd. *Pet* —5H **11**

Norwood La. *Pet* —1B **12**
(in two parts)
Norwood La. Cvn. Pk. *Pet*
—1B **12**
Nottingham Way. *Pet* —5C **12**
Nursery Clo. *Pet* —1A **18**
Nursery Gdns. *Whit* —4E **29**
Nursery La. *Fen* —3D **18**

Oakdale Av. *Pet* —2D **24**
Oakfields. *Long* —3C **16**
Oak Gro. *Mkt D* —3C **6**
Oaklands. *Pet* —1B **18**
Oakleaf Rd. *Pet* —5C **12**
Oakleigh Dri. *Ort L* —1F **23**
Oak Rd. *Glin* —1A **8**
Oak Rd. *Stam* —3B **4**
Oak Vw. *Bret* —3B **16**
Oban Clo. *Stam* —3C **4**
Occupation Rd. *Pet* —5G **11**
Odecroft. *Pet* —4E **11**
Odin Clo. *Whit* —2D **28**
Oldbrook. *Bret* —2C **10**
Old Ct. M. *Pet* —6A **12**
Old Crown La. *Whit* —3C **28**
Oldeamere Way. *Whit* —4E **29**
Olde Barn Pas. *Stam* —5F **5**
(off Castle St.)
Oldfield Gdns. *Whit* —2C **28**
Old Gt. North Rd. *Gt Cas*
—1A **4**
Old Gt. North Rd. *Stam* —5G **5**
Old Gt. North Rd. *Water*
—6A **14**
Old Pond La. *Cas* —3C **14**
Olive Rd. *Pet* —4C **12**
Orchard Clo. *Deep J* —4E **7**
Orchard Clo. *Pet* —2F **17**
Orchard Clo. *Stam* —4F **5**
Orchard Rd. *Stam* —4F **5**
Orchards, The. *Ort Wa*
—3B **22**
Orchard St. *Pet* —5H **17**
Orchard St. *Whit* —3C **28**
Orchard, The. *Mkt D* —3C **6**
Orchard, The. *Wer* —6E **9**
Orchard Wlk. *Yax* —4D **26**
Orchid Clo. *Yax* —2D **26**
Orme Rd. *Pet* —1F **17**
Orton Av. *Pet* —6G **17**
Orton Cen. *Pet* —4A **22**
Orton Enterprise Cen. *Ort S*
—5G **21**
Orton Parkway. *Ort B* —2H **21**
Orwell Gro. *Pet* —2H **11**
Osbourne Clo. *Pet* —2H **11**
Osbourne Way. *Mkt D* —3B **6**
Osprey. *Ort G* —5B **22**
Osric Ct. *Pet* —6C **12**
Otago Clo. *Whit* —2E **29**
Otago Rd. *Whit* —2E **29**
Otterbrook. *Ort B* —2H **21**
Oundle Rd. *Alw & Ort Wa*
—6A **20**
Oundle Rd. *Ort L* —6E **17**
Outfield. *Bret* —2C **10**
Overstone Ct. *Pet* —5E **11**
Overton Way. *Ort Wa* —3B **22**
Owl End Wlk. *Yax* —4B **26**
Owl's End. *Whit* —3D **28**
Oxburgh Clo. *Pet* —2F **25**
Oxclose. *Bret* —3C **10**

St Benedicts Clo. *Glin* —2B **8**
St Benet's Gdns. *Eye* —1H **13**
St Botolph La. *Ort L* —1E **23**
St Clement's. *Stam* —4E **5**
St Davids Sq. *Fen* —4D **18**
St George Av. *Pet* —1E **25**
St Georges Av. *Stam* —3H **5**
St George's Sq. Stam —4G 5
(off St George's St.)
St George's St. *Stam* —4G **5**
St Guthlacs Av. *Mkt D* —3B **6**
St James Av. *Pet* —4H **11**
St Johns Clo. *Pet* —3G **17**
St Johns La. *Stam* —5F **5**
St John's Rd. *Pet* —6B **18**
St Johns St. *Pet* —3B **18**
St Johns St. *Stam* —4F **5**
St John's Ter. *Stam* —4E **5**
St Jude's Clo. *Pet* —1E **17**
St Katherines M. *Hamp H*
—5E **23**
St Kyneburgha Clo. *Cas*
—3C **14**
St Leonard's St. *Pet* —3B **2**
St Leonard's St. *Stam* —4G **5**
St Margaret's Pl. *Pet* —1H **23**
St Margaret's Rd. *Pet* —1H **23**
St Mark's Ct. *Pet*
—2A **18** (1C **2**)
St Mark's St. *Pet*
—2A **18** (1C **2**)
St Martin's Clo. *Stam* —5G **5**
St Martin's Ct. *Pet* —6A **12**
St Martin's St. *Pet* —6H **11**
St Mary's Clo. *Far* —5C **24**
St Marys Clo. *Pet* —1B **18**
St Mary's Ct. *Pet*
—3B **18** (3E **3**)
St Marys Dri. *Ort Wa* —3B **22**
St Mary's Hill. *Stam* —4G **5**
St Mary's Pas. Stam —5G 5
(off St Johns La.)
St Mary's Pl. *Stam* —4G **5**
St Mary's St. *Far* —5C **24**
St Mary's St. *Stam* —4F **5**
St Mary's St. *Whit* —4C **28**
St Michael's Ga. *Pet* —4F **13**
St Michaels Wlk. *Eye* —1H **13**
St Olave's Dri. *Eye* —2H **13**
St Paul's Rd. *Pet* —5G **11**
St Paul's St. *Stam* —4G **5**
St Pega's Rd. *Pea* —1C **8**
St Peter's Arc. *Pet* —4D **2**
St Peter's Hill. *Stam* —5F **5**
St Peter's Rd. *Pet*
—3A **18** (4D **2**)
St Peter's St. *Stam* —5F **5**
St Peter's Va. *Stam* —5F **5**
St Peters Wlk. *Yax* —3D **26**
Salisbury Rd. *Pet* —6D **8**
Sallows Rd. *Pet* —5B **12**
Saltersgate. *Pet* —5E **13**
Saltmarsh. *Ort M* —3E **23**
Samsworth Clo. *Cas* —3D **14**
Sandford. *Pet* —6D **10**
Sandpiper Clo. *Whit* —2F **29**
Sandpiper Dri. *Pet* —1E **25**
Sandringham Clo. *Stam* —2F **5**
Sandringham Rd. *Pet* —3E **11**
Sandringham Way. *Mkt D*
—3B **6**
Sapperton. *Pet* —3D **8**
Sargents Ct. *Stam* —3E **5**

Saville Rd. *Pet* —6F **11**
Saville Rd. Ind. Est. *Pet*
—6F **11**
Saxby Gdns. *Pet* —3C **12**
Saxon Rd. *Pet* —2C **18** (1G **3**)
Saxon Rd. *Whit* —3A **28**
Sayer Ct. *Ort G* —5B **22**
Scaldgate. *Whit* —4D **28**
Scaldgate Rd. *Whit* —4D **28**
Scalford Dri. *Pet* —3C **12**
School Clo. *Bret* —6C **10**
School La. *Glin* —1A **8**
Scotenden. *Ort G* —4A **22**
Scotgate. *Stam* —4F **5**
Scotney St. *Pet* —4G **11**
Scott Clo. *Pet* —1E **25**
Scotts Rd. *Glin* —1B **8**
Searjeant St. *Pet* —6G **11**
Searles Ct. *Whit* —2C **28**
Seaton Clo. *Yax* —3B **26**
Sebrights Way. *Bret* —2B **16**
Second Drift. *Wot* —6F **5**
Second Drove. *Pet* —4D **18**
Second Drove Ind. Est. *Pet*
—4D **18**
Sellers Grange. *Ort G* —3D **22**
Selwyn Rd. *Stam* —2E **5**
Serlby Gdns. *Pet* —2D **16**
(in two parts)
Serpentine Shop. Cen. *Hamp H*
—5G **23**
Serpentine, The. *Hamp H*
—4F **23**
Setchfield Pl. *Pet* —6H **17**
Sevenacres. *Ort B* —3A **22**
Severn Clo. *Pet* —2G **11**
Sewell Clo. *Deep J* —3F **7**
Seymour Pl. *Pet* —2B **12**
Shackleton Clo. *Mkt D* —1C **6**
Shakespeare Av. *Pet* —4H **11**
Shamrock Clo. *Pet* —6D **18**
Sharma Leas. *Pet* —6C **8**
Shearwater. *Ort Wi* —1H **21**
Sheep Mkt. *Stam* —4F **5**
Sheepwalk. *Pet* —2A **12**
Sheldrick Wlk. *Pet* —6C **8**
Shelley Clo. *Pet* —3G **11**
Shelley Clo. *Stam* —3C **4**
Shelton Rd. *Pet* —1D **24**
Shepherds Clo. *Pet* —5E **9**
Sherborne Rd. *Pet* —5D **12**
Sheridan Rd. *Pet* —3H **11**
Sheringham Way. *Ort L*
—1E **23**
Sherwood Av. *Pet* —6H **17**
Sherwood Clo. *Stam* —4D **4**
Shire Gro. *Pet* —6C **12**
Shortacres Rd. *Pet* —6H **17**
Short Drove. *N'boro* —6G **7**
Shortfen. *Ort M* —3E **23**
Shrewsbury Av. *Pet* —6F **17**
Shrewsbury Ct. *Pet* —6F **17**
Shropshire Pl. *Pet*
—3B **18** (3F **3**)
Silver Hill. *Hamp H* —4F **23**
Silver La. Stam —4F 5
(off High St. Stamford,)
Silver St. *Pet* —6H **17**
Silverwood Rd. *Pet* —6H **11**
Silverwood Wlk. *Yax* —4E **27**
Silvester Rd. *Cas* —3C **14**
Singerfire Rd. *Ail* —3B **14**
Sissley. *Ort G* —5A **22**

Skater's Way. *Pet* —5E **9**
Smallwood. *Pet* —5D **10**
Snoots Rd. *Whit* —3A **28**
Snowhills. *Yax* —4C **26**
Snowley Pk. *Whit* —2A **28**
Soke Parkway. *Pet* —3B **16**
Somerby Clo. *Stam* —2F **5**
Somerby Gth. *Pet* —4D **12**
Somerville. *Pet* —4C **8**
Somerville Rd. *Stam* —3E **5**
Sorrel Clo. *Stam* —3A **4**
Southdown Rd. *Yax* —4D **26**
Southfields Av. *Pet* —1D **24**
Southfields Dri. *Pet* —2D **24**
Southgate Pk. *Ort S* —5G **21**
Southgate Way. *Ort S* —6G **21**
Southlands Av. *Pet* —5A **12**
Southoe Rd. *Far* —5D **24**
South Pde. *Pet* —2G **17**
South St. *Pet* —3B **18** (3E **3**)
South St. *Stan* —6C **18**
South Vw. *Pet* —6H **17**
Southview Rd. *Pet* —3F **11**
Southwell Av. *Pet* —5C **8**
Southwick Clo. *Pet* —2H **11**
Sovereign Pl. *Pet* —3G **17**
Spalding Rd. *Deep J* —3F **7**
Speechley Rd. *Yax* —3D **26**
Speedwell Clo. *Deep J* —2E **7**
Spencer Av. *Pet* —2D **24**
Speyside Ct. *Ort S* —3H **21**
Spinney, The. *Mkt D* —3C **6**
Spinney Wlk. *Pet* —3C **16**
Spital Bri. *Pet* —2G **17**
Splash La. *Cas* —5C **14**
Spignall. *Bret* —1B **16**
Spring Dri. *Far* —5B **24**
Springfield. *Pet* —6A **18**
Springfield Rd. *Pet* —6H **11**
Springfield Rd. *Yax* —4D **26**
Springfields. *Whit* —3H **29**
Springwater Bus. Pk. *Whit*
—5E **29**
Square, The. *Pet* —2E **19**
Squiresgate. *Pet* —6H **9**
Stackyard, The. *Ort Wa*
—2A **22**
Stafford Rd. *Whit* —4E **29**
Stagsden. *Ort G* —3B **22**
Stagshaw Dri. *Pet* —5B **18**
Stallebrass Clo. *Pet* —2E **25**
Stamford Bus. Pk. *Stam*
—2H **5**
Stamford Clo. *Mkt D* —4C **6**
Stamford Lodge Dri. *Milt*
—1H **15**
Stamford Rd. *Mkt D* —4A **6**
Stamper St. *Bret* —2B **16**
Stanford Wlk. *Pet* —1E **17**
Staniland Way. *Pet* —5D **8**
Stanley Rd. *Pet* —2A **18** (2D **2**)
Stanley St. *Stam* —4G **5**
Stan Rowing Ct. *Stan* —6C **18**
Stanton Sq. *Hamp H* —5F **23**
Stanwick Ct. *Pet* —3H **17**
Stapledon. *Ort S* —5H **21**
Stapledon Rd. *Ort S* —5H **21**
Star Clo. *Pet* —2C **18** (2G **3**)
Star La. *Stam* —4G **5**
Star M. *Pet* —3C **18** (3G **3**)
Star Rd. *Pet* —3C **18** (4G **3**)
Stathern Rd. *Pet* —4D **12**
Station La. *Ort Wi* —6A **16**

Station Rd. *Ail* —5A **14**
Station Rd. *Pet* —3H **17** (3A **2**)
Station Rd. *Stam* —5G **5**
(Barnack Rd.)
Station Rd. *Stam* —5F **5**
(Wothorpe Rd.)
Station Rd. *Whit* —3D **28**
Station Yd. *Stam* —5F **5**
Staverton Rd. *Pet* —5C **8**
Stephenson Ct. *Pet*
—3B **18** (4E **3**)
Stephens Way. *Deep J* —5G **7**
Steve Woolley Ct. *Ort M*
—3D **22**
Steynings, The. *Pet* —6E **9**
Still Clo. *Mkt D* —3C **6**
Stimpson Wlk. *Pet* —5D **8**
Stirling Rd. *Stam* —3D **4**
Stirling Way. *Bret* —2C **10**
Stirling Way. *Mkt D* —1C **6**
Stocks Hill. *Cas* —4D **14**
Stokesay Ct. *Pet* —5D **16**
Stonald Av. *Whit* —2B **28**
Stonald Rd. *Whit* —2A **28**
(in two parts)
Stonebridge. *Ort M* —2E **23**
Stonebridge Lea. *Ort M*
—2E **23**
Stonehouse Rd. *Yax* —4C **26**
Stone La. *Pet* —6H **11**
Stoneleigh Ct. *Pet* —3D **16**
Storers Wlk. *Whit* —4H **29**
Storey's Bar Rd. *Pet* —2F **19**
Storrington Way. *Pet* —6E **9**
Stowehill Rd. *Pet* —2H **11**
Stowgate Rd. *Deep J* —5H **7**
Straight Drove. *Far* —6D **24**
Stuart Clo. *Pet* —1C **24**
Stuart Ct. *Pet* —1B **18**
Stuart Ho. *Pet* —3E **3**
Stukeley Clo. *Pet* —2D **24**
Stumpacre. *Bret* —3C **10**
Sturrock Way. *Bret* —3E **11**
Sudbury Ct. *Pet* —2F **25**
Sudbury Ct. *Whit* —2C **28**
Suffolk Clo. *Pet* —3D **16**
Summerfield Rd. *Pet* —1H **17**
Sunningdale. *Ort Wa* —1A **22**
Sunnymead. *Pet* —3C **8**
Surrey Ri. *Whit* —2E **29**
Sussex Rd. *Stam* —3F **5**
Sutherland Way. *Stam* —4D **4**
Sutton Ct. *Pet* —5E **9**
Suttons La. *Deep G* —5D **6**
Svenskaby. *Ort Wi* —1G **21**
Swain Ct. *Pet* —5H **17**
Swale Av. *Pet* —2G **11**
Swallow Clo. *Whit* —1F **29**
Swallowfield. *Pet* —5D **8**
Swallow Wlk. *Deep J* —3E **7**
Swan Clo. *Whit* —2E **29**
Swan Rd. *Whit* —2E **29**
Swanson Ho. *Stam* —3H **5**
Swanspool. *Pet* —5D **10**
Sweetbriar. *Stam* —2A **4**
Sweetbriar La. *Pet* —3D **8**
Sweet Clo. *Deep J* —3E **7**
Swift Clo. *Deep J* —4E **7**
Swine's Mdw. Rd. *Mkt D*
—1E **7**
Sycamore Av. *Pet* —4B **12**
Sycamore Rd. *Whit* —4E **29**
Sydney Rd. *Pet* —2D **24**

Syers La. *Whit* —3C **28**
Symmington Clo. *Pet* —5H **17**

Tait Clo. *Pet* —6C **12**
Talbot Av. *Ort L* —1F **23**
Tanglewood. *Pet* —2D **8**
Tanhouse. *Ort M* —2E **23**
Tansor Gth. *Pet* —6E **11**
Tantallon Ct. *Pet* —4D **16**
Tarrant. *Pet* —3C **8**
Tasmans Cvn. Site. *Eye*
—2G **13**
Tattershall Dri. *Mkt D* —2B **6**
Taverners Rd. *Pet* —1H **17**
Teal Rd. *Whit* —2E **29**
Teanby Ct. *Bret* —2B **16**
Teasles. *Deep J* —2E **7**
Temple Grange. *Pet* —3D **8**
Tennyson Rd. *Pet* —3H **11**
Tennyson Way. *Stam* —3C **4**
Tenter La. *Stam* —4G **5**
Thackers Way. *Mkt D* —3D **6**
Third Drove. *Fen* —3E **19**
Thirlmere Gdns. *Pet* —6G **9**
Thistle Dri. *Pet* —6C **18**
Thistlemoor Rd. *Pet* —4G **11**
Thomas Clo. *Bret* —2B **16**
Thompsons Ground. *Hamp H*
—4F **23**
Thornemead. *Pet* —5F **9**
Thorney Rd. *Eye* —1H **13**
Thornham Way. *Whit* —4H **29**
Thornleigh Dri. *Ort L* —1E **23**
Thornton Clo. *Pet* —6G **9**
Thorolds Way. *Cas* —3B **14**
Thoroughfare La. *Whit*
—3C **28**
Thorpe Av. *Pet* —3E **17**
Thorpe Lea Rd. *Pet* —3G **17**
Thorpe Meadows. *Pet* —3F **17**
Thorpe Pk. Rd. *Pet* —3E **17**
Thorpe Rd. *Pet* —4B **16** (4A **2**)
(in two parts)
Thorpe Wood Rd. *Pet* —4B **16**
Thorseby Clo. *Pet* —2C **16**
Threave Ct. *Pet* —5C **16**
Throstle Nest. *Far* —4C **24**
Thurlaston Clo. *Pet* —3D **16**
Thurning Av. *Pet* —1C **24**
Thuro Gro. *Ort G* —4C **22**
Thursfield. *Pet* —5E **9**
Thurston Ga. *Pet* —4C **16**
Thyme Av. *Mkt D* —3D **6**
Tilton Ct. *Pet* —3C **12**
Tintagel Ct. *Pet* —4D **16**
Tintern Rise. *Eye* —1G **13**
Tinwell Rd. *Stam* —6B **4**
Tinwell Rd. La. *Stam* —5D **4**
Tirrington. *Bret* —2C **16**
Tiverton Rd. *Pet* —2E **17**
Tobias Gro. *Gt Cas* —2A **4**
Toftland. *Ort M* —2E **23**
Tolethorpe Sq. *Stam* —3F **5**
Tollbar. *Gt Cas* —1A **4**
Tollgate. *Bret* —6C **10**
Toll Ho. Rd. *Ort L* —6E **17**
Toll Rd. *Far* —2G **25**
Topmoor Way. *Pet* —2H **11**
Torkington Gdns. *Stam* —4F **5**
Torkington St. *Stam* —4D **4**
Touthill Clo. *Pet*
—3A **18** (3D **2**)

Tower Clo. *Whit* —2A **28**
Tower Ct. *Pet* —5H **17**
Tower Mead Bus. Cen. *Pet*
—1A **24**
Tower St. *Pet* —5H **17**
Towler St. *Pet* —2A **18** (1C **2**)
Towngate E. *Mkt D* —2B **6**
Towngate W. *Mkt D* —2A **6**
Towning Clo. *Deep J* —3E **7**
Tresham Rd. *Ort S* —4H **21**
Trienna. *Ort L* —2D **22**
Trinity Ct. *Pet* —4A **18** (5C **2**)
Trinity Rd. *Stam* —3E **5**
Trinity St. *Pet* —4H **17** (5B **2**)
(in two parts)
Troon Clo. *Stam* —3C **4**
Troutbeck Clo. *Pet* —6H **9**
Tuckers Ct. *Pet* —6C **18**
Tuckers Yd. *Pet* —1C **24**
Tudor Clo. *Pet* —1G **11**
Turners La. *Whit* —4C **28**
Turningtree Rd. *Whit* —6F **29**
Turnpole Clo. *Stam* —2H **5**
Turnstone Way. *Stan* —6D **18**
Twelvetrees Av. *Pet* —4C **8**
Twitten, The. *Far* —5C **24**
Two Pole Drove. *Far* —5F **25**
Twyford Gdns. *Pet* —4D **12**
Tyesdale. *Bret* —1C **16**
Tyghes Clo. *Deep J* —3G **7**
Tyler's M. *Wer* —6D **8**
Tyrrell Pk. *Pet* —3D **18**

Uffington Rd. *Stam* —4H **5**
Uldale Way. *Pet* —1H **11**
Ullswater Av. *Pet* —1F **11**
Underwood Clo. *Whit* —3H **29**
Uplands. *Pet* —4E **9**
Upton Clo. *Long* —3C **16**
Upton Clo. *Stan* —2E **25**

Valence Rd. *Ort Wa* —3B **22**
Vence Clo. *Stam* —4E **5**
Vere Rd. *Pet* —4H **11**
Vergette Rd. *Glin* —1B **8**
Vergette St. *Pet*
—1B **18** (1F **3**)
Vermont Gro. *Pet*
—4G **17** (5A **2**)
Vetchfield. *Ort B* —2A **22**
Vicarage Farm Rd. *Pet* —2E **19**
Vicarage Gdns. *Far* —5C **24**
Vicarage Way. *Yax* —5B **26**
Victoria Pl. *Pet* —1H **17** (1B **2**)
Victoria Rd. *Stam* —3F **5**
Victoria St. *Old F* —1H **23**
Victoria St. *Pet* —6A **12**
Victory Av. *Whit* —2E **29**
Viersen Platz. *Pet*
—4A **18** (5C **2**)
Vigar Ho. *Pet* —3E **3**
Viking Ct. *Pet* —6D **18**
Viking Way. *Whit* —2D **28**
Village Farm Clo. *Cas* —3C **14**
Village, The. *Ort L* —1D **22**
Vine St. *Stam* —4G **5**
Vine Wlk. *Pet* —1E **17**
Vineyard Rd. *Pet* —3B **18**
Viney Clo. *Pet* —6D **12**
Vintners Clo. *Pet* —2F **17**
Violet Way. *Yax* —2D **26**

Virginia Clo. *Pet* —3C **16**
Viscount Rd. *Pet* —1A **24**
Vixen Clo. *Yax* —3D **26**
VP Square. *Pet* —2F **19**

Wade Pk. Av. *Mkt D* —4D **6**
Wainman Rd. *Pet* —2F **23**
Wainwright. *Pet* —5C **8**
Wakelyn Rd. *Whit* —3B **28**
Wakerley Dri. *Pet* —6E **17**
Wake Rd. *Pet* —3B **18** (3F **3**)
Walcot Wlk. *Pet* —2C **16**
Walcot Way. *Stam* —3C **4**
Walgrave. *Ort M* —4D **22**
Walker Rd. *Glin* —2B **8**
Walkers Way. *Bret* —2B **16**
Walpole Ct. *Pet* —1A **2**
Walsingham Way. *Eye* —1G **13**
Waltham Clo. *Pet* —3D **12**
Waltham Wlk. *Pet* —1H **13**
Walton Pk. *Pet* —2E **11**
Walton Rd. *Mar* —2A **10**
Warbon Av. *Pet* —4H **11**
Ward Clo. *Pet* —2B **18** (1F **3**)
Wareley Rd. *Pet* —4H **17**
Warwick Rd. *Pet* —1E **17**
Wasdale Gdns. *Pet* —1A **12**
Wash La. *Whit* —2D **28**
Water End. *Alw* —2E **21**
Water End. *Mar* —2A **10**
Water End. *Thor M* —3F **17**
Water Furlong. *Stam* —5E **5**
Watergall. *Bret* —3C **10**
Water La. *Cas* —4D **14**
Water La. *Pet* —1B **22**
Waterloo Rd. *Pet* —6A **12**
Waterslade Rd. *Yax* —5A **26**
Water St. *Stam* —5G **5**
Waterton Clo. *Deep J* —4F **7**
Waterville Gdns. *Ort Wa*
—2B **22**
Waterworks La. *Glin* —3A **8**
Watt Clo. *Pet* —1G **11**
Waveney Gro. *Pet* —1G **11**
Waverley Gdns. *Stam* —3D **4**
Waverley Pl. *Stam* —3D **4**
Wayford Clo. *Pet* —3C **16**
Weatherthorn. *Ort M* —2E **23**
Websters Clo. *Glin* —1B **8**
Wedgwood Way. *Pet* —2D **10**
Weedon Clo. *Pet* —2H **11**
Welbeck Way. *Pet* —1F **23**
Welbourne. *Pet* —5E **9**
Welbourne Lea. *Pet* —5E **9**
Welland Clo. *Pet* —3A **12**
Welland Ho. *Pet* —2B **18** (2F **3**)
Welland M. *Stam* —5G **5**
Welland Rd. *Pet* —4A **12**
Welland Vw. *Tin* —6B **4**
Welland Way. *Deep J* —4F **7**
Wellington La. *Stam* —4F **5**
(off High St. Stamford,)
Wellington St. *Pet*
—3B **18** (3E **3**)
Wellington Way. *Mkt D* —1C **6**
Wells Clo. *Pet* —6D **8**
Wells Ct. *Stam* —2D **24**
Welmore Rd. *Glin* —1B **8**
Wentworth St. *Pet*
—4A **18** (5C **2**)
Werrington Bri. Rd. *Milk N*
—4F **9**

Werrington Bus. Cen. *Wer*
—6B **8**
Werrington Cen. *Wer* —4E **9**
Werrington Gro. *Pet* —1D **10**
Werrington Ind. S. *Wer*
—1C **10**
Werrington Industry N. *Wer*
—5B **8**
Werrington Pk. Av. *Pet* —6E **9**
Werrington Parkway. *Pet*
—5C **8**
Wesleyan Rd. *Pet* —4A **12**
Wessex Clo. *Pet* —6D **18**
Westbourne Dri. *Glin* —1A **8**
Westbrook Av. *Pet* —6H **17**
Westbrook Pk. Clo. *Pet*
—6H **17**
Westbrook Pk. Rd. *Pet* —6H **17**
Westcombe Sq. *Alw* —3E **21**
Westcombe Sq. *Pet* —1D **18**
West Delph. *Whit* —1C **28**
West End. *Whit* —3B **28**
West End. *Yax* —5B **26**
W. End Vs. *Stam* —4E **5**
Westerley Clo. *Pet* —1E **17**
Western Av. *Pet* —4A **12**
Westfield Clo. *Yax* —4B **26**
Westfield Rd. *Pet* —1F **17**
Westfield Rd. *Yax* —5B **26**
Westgate. *Pet* —3H **17** (3B **2**)
Westgate Arc. *Pet*
—3A **18** (4C **2**)
Westhawe. *Bret* —4B **10**
Westminster Gdns. *Eye*
—2G **13**
Westminster Pl. *Pet* —6F **13**
Westmoreland Gdns. *Pet*
—3B **18** (4E **3**)
West Pde. *Pet* —2F **17**
W. Stonebridge. *Ort M* —2E **23**
West St. *Stam* —5E **5**
West St. Bus. Pk. *Stam* —4E **5**
West St. Gdns. *Stam* —4E **5**
Westwood Pk. Clo. *Pet* —2E **17**
Westwood Pk. Rd. *Pet* —2F **17**
Wetherby Way. *Pet*
—2C **18** (1H **3**)
Weymouth Way. *Pet* —5D **12**
Whalley St. *Pet* —2B **18** (1F **3**)
Wharf Rd. *Pet* —5G **17** (6A **2**)
Wharf Rd. *Stam* —5G **5**
Wheatdole. *Ort G* —4C **22**
Wheel Yd. *Pet* —3A **18** (4D **2**)
Whetstone Ct. *Pet* —4E **13**
Whiston Clo. *Pet* —1H **11**
Whitacre. *Pet* —5E **13**
Whiteacres Rd. *Whit* —2D **28**
White Cross. *Pet* —5D **10**
Whitewater. *Ort Wi* —1H **21**
Whitley Way. *Mkt D* —1C **6**
Whitmore St. *Whit* —3C **28**
Whitsed St. *Pet* —2B **18** (1F **3**)
Whittington. *Pet* —4F **13**
Whittlesey Rd. *Pet & Stan*
—6B **18**
Whitwell. *Pet* —2A **12**
Wicken Way. *Pet* —5E **11**
Wigmore Dri. *Pet* —2F **25**
Wilberforce Rd. *Pet* —4H **11**
Wildlake. *Ort M* —2E **23**
Willesden Av. *Pet* —3F **11**
Williamson Av. *Pet* —2G **17**
Willonholt. *Pet* —5E **11**

Willoughby Av.—York Rd.

Willoughby Av. *Mkt D* —2D **6**
Willoughby Ct. *Pet* —4E **13**
Willoughby Rd. *Stam* —2G **5**
Willow Av. *Pet* —4B **12**
Willow Clo. *Whit* —3B **28**
Willow Hall La. *Thor* —2H **19**
Willow Holt. *Hamp H* —4E **23**
Willow Rd. *Stam* —2B **4**
Willow Rd. *Yax* —3E **27**
Willow Rd. Ind. Est. *Yax*
    —3E **27**
Willows, The. *Glin* —1B **8**
Wilton Clo. *Pet* —1E **17**
Wilton Dri. *Pet* —1E **17**
Wimborne Dri. *Pet* —4E **13**
Winchester Way. *Pet* —4G **17**
Windermere Way. *Pet* —6G **9**
Windmill St. *Pet* —6H **11**
Windmill St. *Whit* —2C **28**
Windrush Dri. *Pet* —2H **11**
Windsor Av. *Pet* —3E **11**
Windsor Clo. *Stam* —2F **5**

Windsor Dri. *Pet* —1D **24**
Windsor Pl. *Whit* —4F **29**
Windsor Rd. *Yax* —3D **26**
Wingfield. *Ort G* —5B **22**
Winslow Rd. *Pet* —2E **17**
Winston Way. *Far* —5C **24**
Winwick Pl. *Pet* —6E **11**
Winyates. *Ort G* —4B **22**
Wisteria Rd. *Yax* —5B **26**
Wisteria Way. *Pet* —6F **9**
Wistow Way. *Ort Wi* —1G **21**
Witham Clo. *Stam* —3G **5**
Witham Way. *Pet* —2H **11**
Woad Ct. *Eye* —1H **13**
Woburn Clo. *Mkt D* —3B **6**
Woburn Clo. *Pet* —4C **16**
Wollaston Rd. *Pet* —5E **11**
Woodbine M. *Pet*
    —2B **18** (1F **3**)
Woodbine St. *Pet* —6A **18**
Woodbyth Rd. *Pet* —5A **12**
Woodcote Clo. *Pet* —4A **12**

Woodcroft Clo. *Mkt D* —3B **6**
Woodcroft Rd. *Mar* —1A **10**
Woodfield Rd. *Pet* —2F **17**
Woodhall Ri. *Pet* —3D **8**
Woodhead Clo. *Stam* —2H **5**
Woodhurst Rd. *Pet* —1D **24**
Woodlands, The. *Mkt D* —3C **6**
Woodlands, The. *Pet* —6D **12**
Woodpecker Ct. *Pet* —1A **12**
Woodston Ga. *Ort L* —1F **23**
Woodston Ind. Area. *Ort L*
    —1G **23**
Woolfehill Rd. *Eye* —1F **13**
Woolgard. *Bret* —3C **16**
Woolpack La. *Whit* —4C **28**
Wootton Av. *Pet* —1H **23**
Worcester Cres. *Stam* —3F **5**
Wordsworth Clo. *Pet* —3G **11**
Worsley. *Ort G* —3C **22**
Wothorpe M. *Stam* —5F **5**
Wothorpe Rd. *Stam* —5F **5**
Wren Clo. *Mkt D* —3D **6**

Wright Av. *Pet* —2E **25**
Wulfric Sq. *Bret* —3E **11**
Wycliffe Gro. *Pet* —3C **8**
Wye Pl. *Pet* —2G **11**
Wykes Rd. *Yax* —5B **26**
Wykes, The. *Yax* —6A **26**
Wykes Way. *Yax* —6A **26**
Wyman Way. *Pet* —2B **22**
Wyndham Pk. *Ort Wi* —1H **21**
Wype Rd. *Whit* —3H **29**

Yarwell Clo. *Ort L* —1F **23**
Yarwells Headlands. *Whit*
    —1B **28**
Yarwells Wlk. *Whit* —2C **28**
Yew Tree Wlk. *Pet* —3C **16**
York Rd. *Pet* —5H **11**
York Rd. *Stam* —3F **5**